Allyn and Bacon, Inc.

Boston   Rockleigh, N.J.   Atlanta   Dallas   Belmont, Calif.

NuevaVista

RUTH R. GINSBURG

ROBERT J. NASSI

Revising Authors

ANGELA M. HEPTNER

SHELDON G. STERNBURG

About the Authors

Mrs. Ruth Ginsburg, co-author of the original text, PRIMERA VISTA, was formerly an instructor in Spanish and Education at California State College at Los Angeles and Supervisor of Foreign Languages for the Los Angeles City Schools. She served on state and national committees on foreign language and has acted as a consultant for television study courses.

Robert J. Nassi, co-author of PRIMERA VISTA, was Dean of Admissions and Guidance and Spanish Instructor at Los Angeles Valley College in Van Nuys, California. He also taught in private and public schools in California and New York and acted as a consultant for television study courses.

Mrs. Angela M. Heptner is a native of Spain, where she received her undergraduate education. She received a graduate degree from the University of Granada. She has taken post-graduate courses in Spanish Literature at the "Universidad Complutense", Madrid, and has an M.A. in Spanish Language and Literature from Middlebury College. Prior to coming to the United States, Mrs. Heptner taught Spanish in Africa, Spain and Spanish America, where she traveled extensively. Since 1961 she has been teaching Spanish in the United States at different levels. At present she is a teacher of Spanish at Weston Senior High School, Weston, Massachusetts. In addition, she has conducted teacher-training programs involving techniques and methodology for teaching Spanish to American Peace Corps trainees, and also has extensive experience in the preparation and use of audio-visual materials.

Sheldon G. Sternburg received his B.A. degree in Modern Languages from Northeastern University and his M.Ed. degree from the State College, Boston, Massachusetts. He has had extensive teaching experience since 1960 on the college, junior college and high school levels. As a staff member of the Boston College summer M.A.T. program, Mr. Sternburg has taught graduate courses in methods and materials in foreign languages. At present, he is the instructor for the language laboratory of the Newton Junior College Evening Adult Program and is a member of the foreign language department of Weston Senior High School, Weston, Massachusetts, where he initiated the Spanish program in 1966.

Library of Congress Catalog Card No.:   72-91903

Preface

Nueva Vista is intended primarily for beginning students of Spanish in the junior and senior high schools. It is also adaptable for use with students who have had some informal instruction in elementary school, or who have completed an introductory course in conversational Spanish. For such students, the early lessons in the text will constitute a review of vocabulary and language structures.

Nueva Vista is designed to help students develop their basic language skills. Short dialogues and reading selections are written in a style which meets the needs and interests of young people. In the conversational lessons the dialogue is presented in two themes (**temas**) to facilitate memorization, and each is followed by an **estructura** and its corresponding **práctica.** Usually the more sophisticated structural concepts are presented in **Tema 2.** The dialogues and readings serve to give students some concept of the cultural background, daily life, customs, and traditions of Spanish-speaking people, particularly those of Spanish America. A more comprehensive view of Hispanic life is included in the second-year text, **Vista Hispánica,** as students increase their aural-oral proficiency and continue the development of reading comprehension and writing skills.

The forty lessons, eight review sections, and a supplementary unit, which comprise the first-year text include a variety of oral and writing exercises which combine new material with that of previous lessons. The explanations related to the new structures found in the dialogues, reading selections and practice exercises are briefly presented in English. Contrastive model sentences aid students in acquiring and progressively developing their listening, speaking, reading and writing skills. The illustrations which serve to introduce the themes of the dialogues and the reading selections minimize the need for most English equivalents so that students may achieve a high level of competency, accuracy and confidence in the target language.

Enrichment material, such as the maps and photographs which appear throughout the book, have been selected for their cultural interest. Photographs of festivals, folk arts, schools, market places and modern cities complement the text.

The appendix includes a list of given names; the Spanish alphabet; a section on pronunciation and the division of words into syllables, which expands the presentation of similar exercises in the beginning lessons of the text; and a Spanish-English, English-Spanish vocabulary. A detailed index concludes the book.

Supplementary aids for the text include a Workbook; a Teacher's Guide containing material related to the text, as well as answers to exercises in both **Nueva Vista** and the Workbook; and a set of cassettes. **Vistapak I,** a multi-media kit, consists of overhead transparencies, verb charts, display maps and filmstrips with accompanying cassettes.

TABLA DE MATERIAS

(All music courtesy of Emilio Núñez)

MAPS: pp. 36, 68, 75, 192, Richard Sanderson; p. 80, Editorial Research Reports, Washington, D.C. Cover illustration, Leslie Morrill.

CREDITS: p. xii, Peter Karas; p. 7, Peter Menzel; p. 10, Michal Heron; p. 22 (burro), Richard Capistran; p. 24, Texas Highway Department Photo; p. 28, David Greene; p. 38, Peter Karas; p. 41, Greystone Graphics; p. 46, Peggo Cromer; p. 49, Peter Menzel; p. 54, Peter Karas; p. 58, Peter Karas; p. 65 (Grand Canyon), American Airlines; p. 72, Peter Menzel; p. 76, Peter Menzel; p. 86, Michal Heron; p. 93, Mary Viveiros; p. 102, Peter Karas; p. 109, Peter Menzel; p. 112, Pease from Monkmeyer; p. 121, Peter Menzel; p. 130, Armstrong Cork Company; p. 132, Westinghouse Photo; p. 140, John V. Browne III; p. 145, Marjorie Bishop; p. 146, Paul Conklin; p. 150, Camerique; p. 153, Harold M. Lambert Studios; p. 154, H. Armstrong Roberts; p. 155, H. Armstrong Roberts; p. 156, Courtesy R.H. Stearns, Boston; p. 161, Courtesy R.H. Stearns, Boston; p. 166, Peter Karas; p. 174, Greystone Graphics; p. 185, Paul Conklin; p. 189 (dinner and lunch), American Dairy Association; p. 194, Paul Conklin; p. 196, Peter Menzel; p. 202, Mexican National Tourist Council; p. 211, Peter Menzel; p. 215, Paul Conklin; p. 226, Peter Karas; p. 247, American Airlines; p. 250, American Airlines; p. 253, Newberry Library, Chicago; p. 262, Peter Karas; p. 270, Peter Menzel; p. 276 (picnic), Peter Karas, (table), Patricia Beck; p. 282, Lanks from Monkmeyer; p. 295, American Airlines; p. 306, Historical Pictures Service; p. 310, Peter Menzel; p. 316, Peter Menzel; p. 318, Culver Pictures; p. 324, Maximilian from a painting by Jean-Paul Laurens.

All photographs not otherwise credited are the work of Allyn and Bacon staff photographer.

Lección 1

Saludos y despedidas

El profesor Morales saluda a Felipe.

Señor Morales:	Buenos días, Felipe.
Felipe:	Buenos días, señor.
Señor Morales:	¿Cómo está usted?
Felipe:	Bien, gracias, ¿y usted, señor?
Señor Morales:	Muy bien, gracias, Felipe.

María saluda a la señora Chávez.

María:	Buenas tardes, señora Chávez. ¿Cómo está usted?
Señora Chávez:	Estoy bien, gracias, María. Y tú, ¿cómo estás?
María:	Así, así, gracias, señora.
Señora Chávez:	Bueno, María, hasta la vista.
María:	Adiós, señora.

Note: Spanish has several words meaning *you*. **Tú** (singular) and **vosotros** (plural) are familiar forms used by relatives and intimate friends or in speaking to children.

Usted and **ustedes** are formal, and are used when speaking to strangers or to someone in a high position.

1

Carlos saluda a Lupe.

Carlos:	¡Hola, Lupe! ¿Qué tal? ¿Cómo estás?
Lupe:	Muy bien, ¿y tú?
Carlos:	Bastante bien. ¿Cómo está Isabel?
Lupe:	Está bien, gracias.
Carlos:	Pues, hasta mañana.
Lupe:	Adiós, Carlos. Hasta pronto.

La señora Ortega saluda al señor García.

Señora Ortega:	Buenas noches, señor García. ¿Cómo está usted?
Señor García:	Bien, gracias. Y usted, señora, ¿cómo está?
Señora Ortega:	Estoy muy bien, gracias.
Señor García:	Y ¿cómo está la familia?
Señora Ortega:	Todos están bien, gracias.
Señor García:	Bueno, hasta luego, señora.
Señora Ortega:	Adiós, señor García. Hasta la vista.

PRÁCTICA

Fuga de Consonantes

Modelo: _a_ _a _ _o_ _o.
         Hasta pronto.

1. a_í, a_í.
2. a_ió_.
3. ¡_o_a!
4. ¿_ué _a_?

5. _a_ _a _a _i_ _a.
6. _ue_o_ _ía_.
7. ¿_ó_o e_ _á u_ _e_?
8. E_ _o_ _ie_.

Sustitución (Repeat the sentence substituting the item indicated.)

1. Buenos días, señor García, ¿cómo está usted?

   _____, señor, ¿_____?
   _____, señora, ¿_____?
   _____, señorita, ¿_____?

2. ¡Hola, María! ¿Qué tal? ¿Cómo estás?
   ¡_____, Carlos! ¿_____? ¿_____?
   ¡_____, Lupe! ¿_____? ¿_____?
   ¡_____, Isabel! ¿_____? ¿_____?

3. Estoy bastante bien, gracias.
   _____ muy bien, _____.
   _____ bien, _____.
   _____ así, así, _____.

4. ¿Cómo está María?
   ¿_____ Carlos?
   ¿_____ la familia?
   ¿_____ Lupe?

5. María y Carlos están bien, gracias.
   Todos _____, _____.
   Isabel y Lupe _____, _____.
   Carlos y Lupe _____, _____.

6. Pues, hasta luego.
   _____, _____ pronto.
   _____, _____ mañana.
   _____, _____ la vista.

Conteste (Provide an appropriate response for the second speaker.)

1. *Señor López:* Buenos días, señorita.
   Señorita Flores: _____.
   Señor López: ¿Cómo está usted?
   Señorita Flores: _____.

2. *Señora Chávez:* Buenos días, María. ¿Cómo estás?
   María: _____. ¿_____?
   Señora Chávez: Estoy bastante bien, gracias. Y ¿cómo está la familia?
   María: _____.
   Señora Chávez: Bueno, hasta luego, María.

3. *Pedro:* ¡Hola, Juan! ¿Qué tal? ¿Cómo estás?
   Juan: _____. ¿_____?
   Pedro: Así, así. ¿Cómo está Carmen?
   Juan: _____.
   Pedro: Pues, hasta pronto.
   Juan: _____.

3

Diálogo dirigido

Complete con vocales:

(Based on the situations below, complete the following dialogues with the necessary vowels.)

1. Mr. Delgado greets Miss Molina and asks her how she is. She replies that she is fine and asks about him. He says that he's very well, and they say good-by to one another.

> *Señor Delgado:*   B _ _ n _ s   t _ r d _ s .   ¿ C _ m _   _ s t _
>   _ s t _ d ?
> *Señorita Molina:*   B _ _ n ,   g r _ c _ _ s ,   ¿ y   _ s t _ d ?
> *Señor Delgado:*   M _ y   b _ _ n ,   g r _ c _ _ s .
> *Señorita Molina:*   _ d _ _ s .
> *Señor Delgado:*   _ d _ _ s .

2. Pepe meets his friend Carlos on the way to school and greets him. Pepe asks about Gloria. Carlos says she is fine. Pepe goes off saying he'll be seeing Carlos, and Carlos replies, "See you soon."

> *Pepe:*   ¡ H _ l _ ,   C _ r l _ s !   ¿ Q _ _   t _ l ?
> *Carlos:*   B _ s t _ n t _   b _ _ n .
> *Pepe:*   ¿ C _ m _   _ s t _   G l _ r _ _ ?
> *Carlos:*   _ s t _   b _ _ n ,   g r _ c _ _ s .
> *Pepe:*   P _ _ s ,   h _ s t _   l _   v _ s t _ .
> *Carlos:*   _ d _ _ s ,   h _ s t _   p r _ n t _ .

PRONUNCIACIÓN

Vocales

Spanish has five basic vowel sounds: **a, e, i, o** and **u.** Each vowel has only one sound. When English sounds are pronounced, there is a gliding movement of the tongue and lips. In pronouncing Spanish vowels, the position of the tongue, lips, and jaws remains constant. The sounds are precise, distinct and short in duration. Listen carefully and pronounce each vowel after your teacher.

A   *fa*-ma   *plan*-ta   es-*tá*

E	*pe*-so	me	*ba*-se
I	*ti*-gre	sí	ar-*tis*-ta
O	no	so-*pra*-no	ro-*de*-o
U	*u*-no	*Cu*-ba	*mu*-la

Now, again listen carefully to the sound of each vowel and prolong the sound you hear.

aaaaa..... eeeee..... iiiii..... ooooo..... uuuuu.....

Finally, pronounce the vowels together.

a e i o u   u o i a e   i a o u e   e a o u i

Note that y has the sound of the Spanish *i* if it stands alone (**y**) or at the end of a word (**doy**). Otherwise y is a consonant.

¡CARAMBA! (*Méjico*)

Ma - ña - na me   voy ¡ca-ram-ba! pa - ra Ve - ra - cruz

a   ver a   mi chi-na¡Ca-ram-ba! Ma-ría de   la Luz ¡ay!¡Ca-ram-ba!

Ma - ría de   la Luz ¡ay!¡Ca-ram-ba! Ma - ría de   la Luz.___

II

Mañana me voy, ¡caramba!,
como lo verás, (Bis.)[1]
y a vuelta de viaje, ¡caramba!,
me la pagarás.
Ay, ¡caramba!, me la pagarás, (Bis.)

III

[Yo] soy desdichada, ¡caramba!,
desde que nací, (Bis.)
y a nadie le pasan, ¡caramba!,
las cosas que a mí.
Ay, ¡caramba!, las cosas que a mí.
(Bis.)

[1] **Bis** is used as a direction to repeat, especially in music.

5

¿Cómo se llama usted?

La profesora—Una alumna

Profesora: ¿Cómo se llama usted, señorita?
Alumna: Me llamo Julia Domínguez.
Profesora: Y ¿cómo se llama su amiga?
Alumna: Mi amiga se llama Anita Martínez.

Dos muchachos (Pedro—Arturo)

Pedro: ¿Te llamas José o Arturo?
Arturo: Me llamo Arturo. Y tú, ¿cómo te llamas?
Pedro: Me llamo Pedro.

Lucía—Amalia

Lucía: Amalia, ¿cómo se llama ese (that) muchacho?
Amalia: Se llama Pablo López.
Lucía: Es el presidente de la clase, ¿verdad?
Amalia: Sí. Es muy inteligente.

Señor García—Un alumno

Señor García: ¿Cómo se llama su escuela (your school)?
Alumno: Escuela Hoover.
Señor García: ¿Quién es el director de la escuela?
Alumno: Es el señor Scott.

Dolores—Enrique

Dolores: Enrique, ¿quién es tu (your) profesor de español?
Enrique: Es el señor Galindo.
Dolores: Y ¿cómo se llama tu profesora de inglés?
Enrique: Se llama señorita Jones.

¿Quién es el profesor de español? Es el señor Galindo.

PRÁCTICA

Sustitución

1. ¿Cómo se llama usted?
   ¿_____ su amiga?
   ¿_____ su profesor?
   ¿_____ su escuela?
   ¿_____ el director?

2. ¿Quién es ese muchacho?
   ¿_____ ese señor?
   ¿_____ ese alumno?
   ¿_____ esa señorita?
   ¿_____ esa amiga?

3. Me llamo Enrique.   Y tú, ¿cómo te llamas?
   _____ Gloria.   ___, ¿_____?
   _____ José.   ___, ¿_____?
   _____ Dorotea.   ___, ¿_____?
   _____ Carlos.   ___, ¿_____?

Elija la respuesta apropiada (Choose the appropriate response.)

1. ¿Qué tal? ¿Cómo estás?
   (a) Me llamo Pedro.
   (b) Hasta la vista.
   (c) Bien, ¿y tú?

2. Te llamas Enrique, ¿verdad?
   (isn't it?)
   (a) Bastante bien.
   (b) No, se llama Dolores.
   (c) Sí, señor.

3. ¿Quién es tu amiga?
   (a) Es Dolores.
   (b) Ese muchacho.
   (c) Está bien, gracias.

Conteste

1. ¿Te llamas José o Pablo?   Me llamo Pablo.
2. ¿Ese alumno se llama Enrique o Juan? Se llama Juan.
3. ¿La muchacha se llama Gloria o Anita? _____.
4. ¿Tu amigo se llama Arturo o Pedro?   _____.
5. ¿Se llama usted María o Julia?   _____.

Preguntas personales (Personal questions)

1. ¿Cómo se llama usted? 2. ¿Quién es su amigo? 3. ¿Cómo se llama su padre? 4. ¿Cómo se llama su madre? 5. ¿Quién es el

8

director de la escuela?   6. ¿Cómo se llama su profesor de español?
7. ¿Quién es un alumno inteligente en su clase?   8. ¿Cómo se llama
el presidente?

PRONUNCIACIÓN

Consonantes

The following consonants have approximately the same sound in
Spanish as in English:
D   F   L   M   N   P   S   T

Pronuncie:

da	fa	la	ma	na	pa	sa	ta
de	fe	le	me	ne	pe	se	te
di	fi	li	mi	ni	pi	si	ti
do	fo	lo	mo	no	po	so	to
du	fu	lu	mu	nu	pu	su	tu

Diptongos

A diphthong is a combination of a strong vowel (**a, e, o**) and a weak
vowel (**i, u**), or two weak vowels in one syllable.

1. The strong vowel within the diphthong is stressed, but both
vowels are pronounced.
     ai ei oi   ia ie io   au eu   ua ue uo

2. The second of the two weak vowels is stressed, but both vowels
are pronounced.
     ui   iu

Pronuncie:
pue-blo   cuan-to   pei-ne   fies-ta   seis   sie-te   nue-ve

9

Lección 2

¿Quién está ausente hoy?

El profesor—Un alumno

Profesor: ¿Quién está ausente hoy?
Alumno: Carlos está ausente.
Profesor: ¿Está enfermo Carlos?
Alumno: Sí, está enfermo.
Profesor: ¡Lo siento mucho! (I'm very sorry!)

La profesora—Una muchacha

Profesora: ¿Dónde está Rosa?
Muchacha: Creo que (I believe that) está en casa.
Profesora: ¿Está enferma Rosa?
Muchacha: No, señora, Rosa no está enferma; su madre está enferma.
Profesora: ¡Lo siento mucho!

El profesor—Una alumna

Profesor: ¿Está ausente Roberto?
Alumna: No, señor, Roberto está presente.
Profesor: Pues, no está en la clase.
Alumna: Roberto está en la oficina del director.
Profesor: ¡Qué lástima! (That's too bad!)

PRÁCTICA

Sustitución

1. Rosa está ausente hoy.
   Mi amigo _____.
   El muchacho _____.
   Nadie _____.

2. ¿Dónde está Carlos?
   ¿_____ Arturo?
   ¿_____ la profesora?
   ¿_____ el alumno?

3. Creo que María está en casa.
   _____ mi amiga _____.
   _____ la señora _____.
   _____ mi madre _____.

4. El alumno está en la escuela.
   La profesora _____.
   Pedro _____.
   Tu amigo _____.

5. La profesora no está en la clase, está en la oficina.
   Juan _____.
   El señor _____.
   El alumno _____.

Conteste

1. ¿Está enfermo Carlos?   No, no está enfermo.
   ¿Está enferma la señorita?   No, no está enferma.
   ¿Está enfermo tu amigo?   _____.
   ¿Está enferma Dorotea?   _____.
   ¿Está enfermo el alumno?   _____.
   ¿Está enferma la profesora?   _____.

2. ¿Dónde está Dolores? (casa)   Dolores está en casa.
   ¿Dónde está Pepe? (la oficina)   _____.
   ¿Dónde está tu amiga? (ausente)   _____.
   ¿Dónde está Alicia? (la escuela)   _____.
   ¿Dónde está el profesor? (la clase) _____.

Elija la respuesta apropiada

1. ¿Dónde está Luisa?

   (a) Elena es su amiga.
   (b) Su familia está bien.
   (c) En casa.

2. ¿Quién está ausente?

   (a) Nadie.
   (b) ¡Qué lástima!

12

3. ¿Cómo estás?

    (a)   Estoy en la escuela.
    (b)   Estoy bien, gracias.
    (c)   Me llamo Pepe.

4. Mi madre está enferma.

    (a)   ¡Lo siento mucho!
    (b)   Creo que está en la oficina.
    (c)   Así, así.

Preguntas personales

1. ¿Quién está ausente hoy?   2. ¿Dónde está el profesor (la profesora) de español?   3. ¿Quién es su amigo?   4. ¿Está su amigo en la clase?   5. ¿Dónde está su madre?   6. ¿Está enfermo su padre?   7. ¿Quién es el director de la escuela?   8. ¿Dónde está el director?

PRONUNCIACIÓN

Consonantes

The following consonants do not have the same sound in Spanish as in English:

H   It is always silent: (*h*)*o*-la (*h*)*i*-lo

R   When not at the begining of a word it is pronounced with a flap of the tongue.

        pe-ro   *ti*-re   Ma-*ri*-a

      R at the beginning of a word and RR are trilled. The RR is treated as one letter.

        ro-sa   *pe*-rro   *e*-rre

CH   It is considered as a single letter representing a single sound and is pronounced with the following vowel.   *Chi*-le cha-*que*-ta   *che*-que

LL   It is considered as one letter and represents the same sound as *y*. (In parts of Spain where Castilian pronunciation is used it sounds as if it were *lli* said with the tip of the tongue touching the lower front teeth.)   *e*-lla   *lla*-ve   llo-*ver*

Ñ   It is pronounced with the tip of the tongue touching the lower teeth and a short fricative *y* sound.   se-*ñor* se-*ño*-ra   es-pa-*ñol*

13

B and V have the same sound in Spanish. The *b* or *v* at the beginning of a group of words, or after *m* or *n* is pronounced with the lips pressed less tightly together than in English. *ba*-se
va-ca   *bu*-rro

The *b* or *v* in any other position is pronounced with the lips barely touching each other.
muy *bien*   Ro-*ber*-to   no-*voy*   ri-*val*

X   Before a consonant its pronunciation has the sound of *k+s*:
ex-tran-*je*-ro   ex-pli-*car*
Between vowels, its pronunciation has the sound of *g+s*:
e-*xa*-men   *é*-xi-to

PRÁCTICA

Practice the following sounds several times

bra,	bre,	bri,	bro,	bru	lla,	lle,	lli,	llo,	llu
bla,	ble,	bli,	blo,	blu	pra,	pre,	pri,	pro,	pru
cra,	cre,	cri,	cro,	cru	tra,	tre,	tri,	tro,	tru
pla,	ple,	pli,	plo,	plu	ña,	ñe,	ñi,	ño,	ñu
dra,	dre,	dri,	dro,	dru	ra,	re,	ri,	ro,	ru
fra,	fre,	fri,	fro,	fru	ar,	er,	ir,	or,	ur
fla,	fle,	fli,	flo,	flu	gla,	gle,	gli,	glo,	glu

Preparación para el dictado

Roberto está en la oficina del director. El señor Morales es el director de la escuela. Carlos no está en la clase. Creo que está enfermo.

¿Qué tiene usted?

El profesor—Una alumna

Profesor: ¿Tiene usted un libro?
Alumna: Sí, tengo un libro.
Profesor: Tráigame usted (Bring me) el libro, por favor.
Alumna: Con mucho gusto. (Be glad to.)
Profesor: Gracias.
Alumna: De nada.

La profesora—Un alumno

Profesora: ¿Tiene usted una pluma?
Alumno: No, señora, no tengo pluma.
Profesora: ¿Quién tiene (Who has) una pluma?
Alumno: Roberto tiene una pluma.
Profesora: Déme (Give me, *polite form*) la pluma de Roberto, por favor.
Alumno: Con mucho gusto.
Profesora: Muchas gracias.
Alumno: De nada.

Luis—Juan

Luis: ¿Tienes un lápiz, Juan?
Juan: Sí.
Luis: Dame (Give me, *familiar form*) tu lápiz, por favor.
Juan: Aquí lo tienes.

15

ESTRUCTURA A

Género de los nombres
El artículo definido; **el, la**

MASCULINO	FEMENINO
el muchacho	**la** muchacha
el profesor	**la** profesora
el cuaderno	**la** tinta
el lápiz	**la** clase

1. Nouns referring to male beings are masculine; nouns referring to female beings are feminine.
2. Nouns ending in **-o** are generally masculine: **el libro.**
3. Nouns ending in **-a** are generally feminine: **la pluma.**
4. The gender of a noun not ending in **-o** or **-a** must be learned: **el lápiz, la clase.**
5. The definite article is **el** before a masculine singular noun, and **la** before a feminine singular noun.

16

la profesora

la alumna

el lápiz

el libro

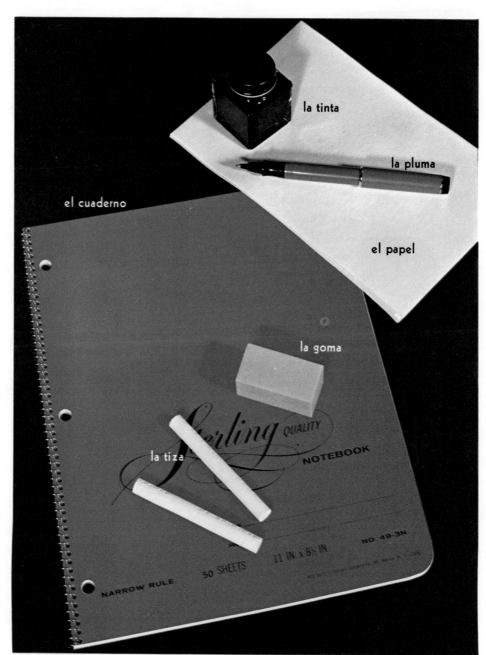

la tinta

la pluma

el cuaderno

el papel

la goma

la tiza

17

PRÁCTICA

Sustitución

1. ¿Dónde está el señor?
    ¿_____ alumno?
    ¿_____ lápiz?
    ¿_____ profesor?
    ¿_____ papel?
    ¿_____ libro?

2. ¿Dónde está la muchacha?
    ¿_____ amiga?
    ¿_____ pluma?
    ¿_____ tinta?
    ¿_____ goma?
    ¿_____ clase?

3. Aquí está la profesora.
    _____ muchacho.
    _____ lápiz.
    _____ pluma.

4. Aquí está la escuela.
    _____ papel.
    _____ cuaderno.
    _____ tinta.

El artículo indefinido; **un, una** (*a, an*)

	MASCULINO	FEMENINO
	un amigo	**una** amiga
	un lápiz	**una** escuela

Un is used before a masculine noun.
Una is used before a feminine noun.

PRÁCTICA

Sustitución

1. ¿Tienes un libro?
    ¿_____ lápiz?
    ¿_____ papel?
    ¿_____ amigo?
    ¿_____ cuaderno?

2. ¿Tiene usted una pluma?
    ¿_____ casa?
    ¿_____ goma?
    ¿_____ amiga?
    ¿_____ clase?

Transformación (Change the sentence according to the model.)

1. No tengo mi libro.
2. No tengo mi pluma.
3. No tengo mi papel.

Tráigame un libro, por favor.
_____, _____.
_____, _____.

18

4. No tengo mi cuaderno.   _____, _____.
5. No tengo mi goma.   _____, _____.

Conteste

1. ¿Tiene Pedro una amiga?   Sí, Pedro tiene una amiga.
2. Jorge, ¿tiene un lápiz?   Sí, _____.
3. ¿Quién tiene el papel?   La profesora _____.
4. ¿Tiene usted el cuaderno?   Sí, _____.
5. ¿Quién tiene la tiza?   Tú _____.
6. ¿Tiene ese muchacho el libro?   Sí, _____.

ESTRUCTURA B

De para expresar posesión

Tengo el lápiz **de** Alicia.
Es el profesor **de** Roberto.
¿Dónde está la pluma **de** Elena?

Note that there is no apostrophe used in Spanish to show possession.
"Alice's pencil" is **el lápiz de Alicia:** *the pencil of Alice.*

PRÁCTICA

Transformación

1. María tiene un lápiz.   Déme el lápiz de María.
2. Antonio tiene un libro.   Déme el libro de Antonio.
3. José tiene una pluma.   _____.
4. Roberto tiene una goma.   _____.
5. Linda tiene un papel.   _____.

Traduzca

1. It's Gloria's school.   Es la escuela **de** Gloria.
   It's Peter's father.   _____.
   It's Carmen's house.   _____.

2. Where is Robert's class?   ¿Dónde está la clase **de** Roberto?
   Where is Alice's notebook?   ¿_____?

19

Where is Richard's friend?   ¿———————————————————?

3. I don't have Paul's book.   No tengo el libro **de** Pablo.
    I don't have Mary's pencil.   ———————————————————.
    I don't have Peter's eraser.   ———————————————————.

PRONUNCIACIÓN

Sonidos irregulares

English sounds

K	Ca	Que	Qui	Co	Cu
S or TH	Za	Ce	Ci	Zo	Zu
G (guttural as in gargle)	Ga	Gue	Gui	Go	Gu
H (strong sound)	Ja	Ge	Gi	Jo	Ju

Note 1.   The letter **q** is used for only two sounds in Spanish, **que** and **qui**. The **q** is always followed by **ue** or **ui**. The **u** is silent. Examples: **que**so, **qui**nto. Before **ua** the letter **c** must be used. Examples: **cua**nto, **cua**tro, **cua**ndo. When the letter **c** is followed by **ue** and **ui** the **u** is pronounced. Examples: es**cue**la, **cui**dado, en**cue**ntro.

Note 2.   Use **c** instead of **z** before **e** or **i**. Examples: zero = cero, zebra = cebra.

Note 3.   The **u** is always silent in **gue** and **gui**. Examples: **gue**rra, **gui**tarra.

Note 4.   The letter **g** before **e** or **i** has a slightly stronger sound than the English **h**. Examples: **ge**neral, **ge**ntil, **ge**nte, **gi**tano.

20

PRÁCTICA

Pronuncie después de su profesor
(Pronounce these words after your teacher.)

cuarto gitano que quien gorra germen cual ojo cuna
general cero queso quinto cuatro guisado cuidado pájaro
escuadrón escuela gente Quito lógico hijo gerente quizás
guisante igual Miguel siguiente

LA PUPUSERA *(El Salvador, Centroamérica)*

La pu - pu - se - ra jun-to al co - mal ha - ce pu -

pu-sas de chi-char-rón, también de que-so de buen sa-bor ¡ay! lo-ro con

chi-le y de fri - jol. La pu-pu - jol. Y po-ne siem-pre junto al co -

mal de ca - fé ne - gro un gran jar - rón. ¡Pu - pu - sas

ri - cas del Sal - va - dor! a tres por cin - co y u - na por dos.

21

el perro

la vaca

el gato

Mi familia tiene un
rancho que está cerca
de San Antonio.

el burro

el caballo

Lección 3

Un rancho tejano

Mi familia tiene un rancho que está cerca de (near) San Antonio. El rancho no es muy grande pero hay (there are) varios animales en el rancho.

Hay dos caballos, tres vacas y también (also) un burro. Un caballo es de mi padre y el otro es de mi hermano Felipe.

Yo tengo un perro grande que se llama Duque y mi hermana Alicia tiene un gato pequeño. Duque y el gato son amigos.

Conteste las preguntas basadas en la narración

1. ¿Dónde está el rancho de su familia?
2. ¿Es grande el rancho?
3. ¿Hay varios animales en el rancho?
4. ¿Quién tiene un gato pequeño?
5. ¿Cómo se llama el perro?

23

ESTRUCTURA A

Usos de **hay:** *there is, there are;* ¿**hay?**: *is there? are there?*

Hay muchos animales en el rancho.
Hay un burro en el rancho.
¿**Hay** vacas en el rancho?
¿**Hay** un caballo en el rancho?

Note that the definite article is not used after **hay.**

PRÁCTICA

Sustitución

1. Hay animales en el rancho.
    _____ un perro grande _____.
    _____ vacas _____.
    _____ caballos _____.
    _____ un burro pequeño ___.
    _____ gatos _____.

2. ¿Hay alumnas en la clase?
    ¿_____ tinta _____?
    ¿_____ libros _____?
    ¿_____ papel _____?
    ¿_____ muchachas _____?
    ¿_____ un profesor _____?

PRONUNCIACIÓN

Sílabas

1. A single consonant between two vowels goes with the following vowel:

    có-mi-co   fa-vo-*ri*-to   o-fi-*ci*-na

    Divida las palabras en sílabas:

    camino   esa   una   mariposa   casino   comedor   vecino
    ella   calle   llave

2. Two consonants coming together are generally separated:

    doc-*tor*   *don*-de   *tin*-ta   Ro-*ber*-to

    If the second of two consonants is **r** or **l**, the consonants are generally not separated: *pa*-dre   *li*-bro   po-*si*-ble

    Divida las palabras en sílabas:

    campo   contrario   artista   alumno   escuela   arte
    mantilla   entrada   fantasma

Acento

1. Words that end in a vowel or the consonants **n** or **s** are stressed on the next to the last syllable:

    gran-de   a-*lum*-no   *or*-den   al-*gu*-nos

    Pronuncie las palabras y divídalas en sílabas:

    necesario   imposible   hablo   cantamos   caballo   actores
    origen   tardes   grande

25

2. Words ending in any consonant except **n** or **s** are stressed on the last syllable:

    se-*ñor* es-pa-*ñol* ac-*tor* li-ber-*tad*

Pronuncie las palabras y divídalas en sílabas:

    capital profesor dictador universidad original usted
    metal libertad hablar leer

3. Words not stressed according to the two rules given above always have an accent mark indicating the syllable to be stressed:

    es-*tá* na-*ción* in-*glés* *lá*-piz

ESTRUCTURA B

¿Cómo se expresa *how many* en español?

¿Cuántos animales hay en el rancho?	Hay muchos (many) animales en el rancho.
¿Cuántas vacas hay en el rancho?	Hay pocas (few) vacas en el rancho.

Números de 1 a 10

1	uno	6	seis
2	dos	7	siete
3	tres	8	ocho
4	cuatro	9	nueve
5	cinco	10	diez

PRÁCTICA

Conteste

1. ¿Cuántos alumnos hay en la clase?   En la clase hay _____.
2. ¿Cuántas alumnas hay en la clase? _____.
3. ¿Cuántos cuadernos hay en la mesa? _____.
4. ¿Cuántos libros hay en la mesa? _____.
5. ¿Cuántos papeles hay en la mesa? _____.
6. ¿Cuántas plumas hay en la mesa? _____.
7. ¿Cuántas tizas hay en la mesa? _____.
8. ¿Cuántas gomas hay en la mesa? _____.

Forme preguntas (Ask questions.)

1. Hay cinco libros.   ¿Cuántos libros hay?
2. En la clase hay tres libros.   ¿——————————?
3. En la mesa hay seis tizas.   ¿——————————?
4. Hay diez alumnas en la clase.   ¿——————————?
5. Hay dos burros en el rancho.   ¿——————————?

NACÍ EN LA CUMBRE (*Guatemala*)

Na - cí en la cum - bre deu - na mon - ta - ña li - brandoel

ra - yo des - vas - ta - dor; cré - cí en el fon - do deu - na ca -

ba - ña yhoy que soy hom - bre mue - ro dea - mor.

II	III
Unos bandidos me alimentaron	Si tú no sales a tu ventana,
a la cuitada que me dio el ser;	Perla de Oriente, nítida flor,
hijo del trueno me apellidaron	cabe tus muros verás mañana
y en la noche oscura vine a nacer.	rota mi lira, muerto al cantor.

Hay muchas flores en el jardín. La
violeta es una flor bonita. Es la flor
favorita de muchas personas.

La rosa es una flor bonita. La rosa es la
flor favorita de muchas personas.

El jardín y el mercado

Hay muchas flores en el parque. Hay también flores en el jardín. La rosa es una flor bonita (pretty). La rosa es mi flor favorita. La violeta es también una flor bonita. La violeta es la flor favorita de mi amiga Dolores.

Hay muchas frutas en el mercado: peras, bananas, piñas y melones. La piña es una fruta deliciosa. Es mi fruta favorita. La pera es también una fruta deliciosa. ¿Cuál (Which) es su fruta favorita?

En los mercados de México y de Centroamérica hay muchas frutas tropicales. El mango es una fruta tropical. La papaya es también una fruta tropical. Las frutas tropicales son deliciosas.

29

PRÁCTICA

Repita

1. Hay flores en el parque.
   El parque es bonito.
   Es un parque grande.

2. La rosa y la violeta son flores.
   La rosa es una flor bonita.
   Es mi flor favorita.

3. Tengo un jardín bonito.
   Es un jardín pequeño.
   Hay flores en mi jardín.

4. Hay frutas en el mercado.
   La piña y el melón son frutas.
   El melón es una fruta deliciosa.

Hay muchas frutas en el mercado. ¿Cuál es su fruta favorita?

Sustitución

1. La rosa es bonita.
    La flor _____.
    La fruta _____.
    La casa _____.
    Mi amiga _____.

2. El parque es bonito.
    El jardín _____.
    El rancho _____.
    El mercado _____.
    Mi gato _____.

Preguntas personales

1. ¿Tiene Ud.* jardín?   2. ¿Es grande o pequeño?   3. ¿Hay flores en su jardín?   4. ¿Es un jardín bonito?   5. ¿Hay frutas tropicales en su mercado?   6. ¿Dónde hay muchas frutas tropicales? 7. ¿Cuál es su fruta favorita?

ESTRUCTURA

Los artículos definidos; singular y plural

	Singular	Plural
masculino	el	los
femenino	la	las

el alumno	los alumnos
el presidente	los presidentes
el amigo	los amigos
la muchacha	las muchachas

Nouns ending in a vowel form their plural by adding -s.

el papel	los papeles
el doctor	los doctores
la flor	las flores

Nouns ending in a consonant form their plural by adding **-es**.

* Ud (Vd.) = usted, singular.
  Uds. (Vds.) = ustedes, plural.

31

la nación	las nacion**es**
la composición	las composicion**es**

Nouns having a written accent on the last syllable do not have a written accent in the plural.

el lápiz	los lápic**es**

Nouns ending in **-z** in the singular change **z** to **c** before adding **-es** in the plural.

PRÁCTICA

Sustitución

1. Hay muchos parques en México.*
   _____ mercados _____.
   _____ doctores _____.
   _____ jardines _____.
   _____ generales _____.
   _____ profesores _____.

2. ¿Dónde están los amigos?
   ¿_____ alumnos?
   ¿_____ papeles?
   ¿_____ señores?
   ¿_____ profesores?
   ¿_____ lápices?

3. ¿Quién tiene las frutas?
   ¿_____ bananas?
   ¿_____ flores?
   ¿_____ rosas?
   ¿_____ lecciones?
   ¿_____ plumas?

	Singular	Plural
4.	El alumno está aquí.	Los alumnos están aquí.
	El lápiz está aquí.	Los lápices están aquí.
	La flor está aquí.	_____.
	La clase está aquí.	_____.
	El doctor está aquí.	_____.
	El jardín está aquí.	_____.
	La muchacha está aquí.	_____.

* The **x** in **México** has the sound of English *h* or *x*.

El profesor está aquí.   _____.
El animal está aquí.   _____.
El cuaderno está aquí.   _____.

Complete con nombres de personas (Use the name of a person or persons.)

1. _____ es el presidente de los Estados Unidos.
2. _____ es una persona importante.
3. _____ y _____ son actores populares.
4. _____ es un general famoso.
5. _____ y _____ son personas inteligentes.
6. _____ y _____ son profesores populares.
7. _____ es el director (la directora) de la escuela.

Composición oral

Describa en una o dos frases uno de los siguientes tópicos:
(Describe in one or two sentences one of the following topics:)

Mi jardín   El parque   El mercado   Mi fruta favorita

Preparación para el dictado

En mi jardín hay muchas flores bonitas. Mi flor favorita es la violeta.
La rosa es la flor favorita de mi amigo Enrique.

Buenos Aires

Lección 4

Los continentes de América

Hay dos continentes en América: Norteamérica y Sudamérica. El Canadá, los Estados Unidos y México están en Norteamérica. Las seis repúblicas de Centroamérica también están en el continente de Norteamérica.

Hay once repúblicas en Sudamérica. Colombia, Venezuela y Las Guayanas están en el norte, la Argentina y Chile en el sur. En el oeste están el Ecuador, el Perú y Bolivia, y en el este, el Brasil, el Paraguay y el Uruguay.

Hay montañas altas (high mountains) y ríos grandes (large rivers) en los dos continentes de América. Las montañas principales de Norteamérica son las Montañas Rocosas; las montañas principales de Sudamérica son los Andes. El río Misisipí es el río principal de Norteamérica, y el Amazonas es el río principal de Sudamérica.

CANADÁ

Ottawa ★

NORTE AMÉRICA

MONTAÑAS ROCOSAS

ESTADOS UNIDOS

★ Washington

Río Mississippi

OCÉANO ATLÁNTICO

Río Grande

MÉXICO

GOLFO DE MÉXICO

La Habana
★ CUBA

Port-au-Prince
REPÚBLICA DOMINICANA
Ciudad Trujillo

México ★

CENTRO AMÉRICA

JAMAICA
HAITÍ

San Juan
PUERTO RICO

Belize
HONDURAS
Tegucigalpa
Guatemala ★
GUATEMALA
San Salvador
EL SALVADOR
Managua
NICARAGUA
San José ★
COSTA RICA
PANAMÁ
★ Panamá

MAR CARIBE

Caracas
★ VENEZUELA

Canal de Panamá

Río Orinoco

LAS GUAYANAS

★ Bogotá
COLOMBIA

Quito ★
ECUADOR

ECUADOR

Río Amazonas

OCÉANO PACÍFICO

LOS ANDES

PERÚ

BRASIL

Lima ★

La Paz
★
BOLIVIA
★
Sucre

★ Brasília

SUD AMÉRICA

PARAGUAY

Asunción

★ Río de Janeiro

LOS ANDES

R. Paraná

URUGUAY

Santiago ★

LOS ANDES

Buenos Aires ★

★ Montevideo

R. de la Plata

CHILE

ARGENTINA

Un Mapa de las Américas

¿Sí o No?

(If the statement is correct, answer *sí;* if incorrect, *no.*)

1. Hay dos repúblicas en Sudamérica. 2. El Amazonas es un río grande. 3. El Perú está en el oeste de Sudamérica. 4. México está en Norteamérica. 5. Hay ríos grandes en los Estados Unidos. 6. Los Andes son montañas altas de México. 7. Chile está en el este de Sudamérica. 8. Hay diez continentes en América. 9. El Brasil es una república importante. 10. Colombia está en Centroamérica.

PRÁCTICA

Empareje las siguientes oraciones; el mapa está en la página 36
(Refer to the map on page 36 to match column A with column B.)

A	B
1. Santiago es la capital de	(a) Venezuela
2. La Habana es la capital de	(b) Colombia
3. La Paz es la capital de	(c) Bolivia
4. San José es la capital de	(d) la Argentina
5. Caracas es la capital de	(e) Cuba
6. Panamá es la capital de	(f) Chile
7. Bogotá es la capital de	(g) Costa Rica
8. Guatemala es la capital de	(h) Panamá
9. Buenos Aires es la capital de	(i) Guatemala

Lección 5

En la tienda de la escuela

Un alumno—Una señorita

Alumno:	Buenos días, señorita.
Señorita:	Buenos días.
Alumno:	¿Hay cuadernos, señorita?
Señorita:	Sí, ¡cómo no! (of course!)
Alumno:	Quiero (I want) un cuaderno grande.
Señorita:	¿De qué color?
Alumno:	Rojo, por favor. También déme Ud. un pequeño cuaderno negro.
Señorita:	Aquí tiene Ud. los dos cuadernos.
Alumno:	¿Tiene Ud. tinta?
Señorita:	¡Por supuesto! ¿Quiere Ud. tinta negra, roja o azul?
Alumno:	Quiero tinta azul.
Señorita:	¿Algo más? (Anything else?)
Alumno:	Déme papel blanco, por favor.
Señorita:	Aquí están la tinta y el papel.
Alumno:	¿Cuánto es, señorita?
Señorita:	Un peso y diez centavos.
Alumno:	Aquí tiene Ud. el dinero.
Señorita:	Gracias.
Alumno:	De nada.

39

ESTRUCTURA A

Concordancia de los adjetivos

masculino	*femenino*
El papel es blanc**o**.	La tiza es blanc**a**.
El libro es amarill**o**.	La flor es amarill**a**.

Adjectives ending in **-o** change **-o** to **-a** when describing a feminine noun.

El cuaderno es grande.	La casa es grande.
El lápiz es azul.	La pluma es azul.

Adjectives not ending in **-o** are the same in the masculine and feminine.

Quiero un lápiz azul.	Usted quiere tinta azul.

Descriptive adjectives generally follow the noun they describe.

PRÁCTICA

Sustitución

1. El libro es amarillo.
   — papel _____.
   — lápiz _____.

2. El lápiz es verde.
   — cuaderno __.
   — papel _____.

3. La tiza es amarilla.
   — flor _____.
   — pluma _____.

4. La fruta es verde.
   — casa _____.
   — tinta _____.

Conteste

1. El lápiz es rojo; ¿y la tinta?   La tinta es roja también.
2. El cuaderno es negro; ¿y la pluma?   La pluma es negra también.
3. El papel es blanco; ¿y la tiza?   _____.
4. El lápiz es azul; ¿y la tinta?   _____.

5. El señor es alto; ¿y la señora? _____.
6. El patio es pequeño; ¿y la casa? _____.
7. El jardín es bonito; ¿y la flor? _____.
8. El mercado es grande; ¿y la tienda? _____.
9. El muchacho es pequeño; ¿y la _____.
   muchacha?

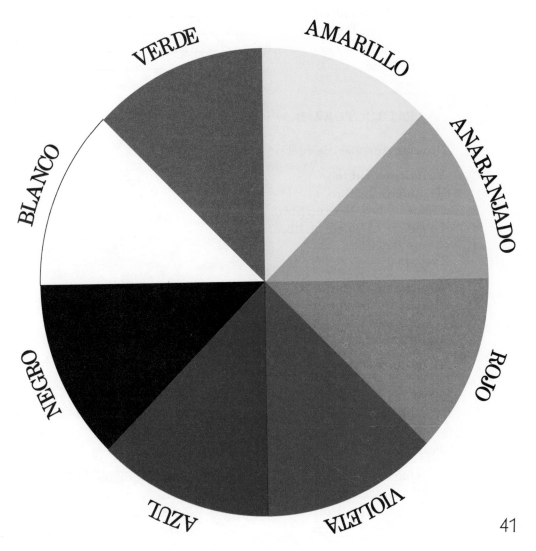

Conteste

1. ¿Es grande el mercado?   Sí, es un mercado grande.
2. ¿Es pequeña la tienda?   Sí, es una tienda pequeña.
3. ¿Es bonito el jardín?   _____.
4. ¿Es alta la señora?   _____.
5. ¿Es famoso el actor?   _____.
6. ¿Es interesante el libro?   _____.
7. ¿Es blanca la casa?   _____.
8. ¿Es inteligente el muchacho?   _____.
9. ¿Es verde el lápiz?   _____.

ESTRUCTURA B

Presente (singular) de **querer**   *to want*

Yo **quiero** un libro.
Tú **quieres** un libro.
El muchacho **quiere** un libro.
La muchacha **quiere** un libro.

Preguntas

¿**Quieres** tú un libro?
¿**Quiere** Ud. un libro?   ¿verbo + sujeto . . . ?

La forma negativa

Yo no **quiero** la pluma.   no + verbo

PRÁCTICA

Sustitución

1. Quiero tinta verde.   2. José,   ¿quieres mi libro?
   _____ roja.   Tomás ¿_____?
   _____ azul.   Pepe,   ¿_____?
   _____ negra.   Elena,   ¿_____?

42

3. ¿Quiere Ud. mi lápiz, señor?
   ¿——————— mi pluma, ——?
   ¿——————— mi papel, ——?
   ¿——————— mi tinta, ——?

Conteste

1. ¿Quieres el cuaderno de Carlos?   No, no quiero su cuaderno.
2. ¿Quieres la pluma de Rosa?   ——————————.
3. ¿Quieres el papel de Manuel?   ——————————.
4. ¿Quieres el lápiz de Tomás?   ——————————.
5. ¿Quieres la tinta de Roberto?   ——————————.

Responda

1. ¿Quién quiere los papeles? (el profesor)   El profesor quiere los papeles.
2. ¿Quién quiere un libro? (Arturo)   ——————————.
3. ¿Quién quiere el gatito? (María)   ——————————.
4. ¿Quién quiere las flores? (Mi madre)   ——————————.
5. ¿Quién quiere dinero? (Nadie)   ——————————.

Empareje

A	B
1. Quiero un cuaderno.	(a) Diez centavos.
2. ¿Algo más?	(b) Azul.
3. ¿Tiene Ud. lápices?	(c) Muchas gracias.
4. Quiero dos lápices.	(d) Sí, déme papel blanco, por favor.
5. ¿Cuánto es?	(e) ¿Grande o pequeño?
6. ¿De qué color?	(f) Aquí están.
7. Aquí tiene Ud. el dinero.	(g) Sí, ¿cómo no?

Complete el diálogo

Alumno: Buenas tardes, señorita.
Señorita: ——————————————————.
Alumno: ¿Tiene Ud. lápices?
Señorita: ——————————————————.

43

Alumno:	Déme cuatro lápices.
Señorita:	———————————————————.
Alumno:	También quiero tinta.
Señorita:	¿———————————————————?
Alumno:	Quiero tinta verde.
Señorita:	¿———————————————————?
Alumno:	No, gracias; ¿cuánto es?
Señorita:	———————————————————.
Alumno:	Aquí tiene Ud. el dinero.
Señorita:	———————————————————.
Alumno:	De nada.

LAS MAÑANITAS (*Méjico*)

Es - tas   son   las ma - ña - ni - tas, que can - ta - ba el Rey Da -
vid,   pe - ro no e - ran tan bo - ni - tas co - mo las can - tan a -
quí Des - pier - ta, mi bien, des - pier - ta, Mi - ra   que ya a - ma - ne -
ció;   Ya los   pa - ja - ri - tos can - tan la lu - na ya se me - tió.

II	III
Si el sereno de la esquina	Qué bonita mañanita,
me quisiese hacer favor	como que quiere llover;
de apagar su linternita	así estaba la mañana
mientras que pasa mi amor.	cuando te empecé a querer.
Despierta, mi bien, despierta . . .	Despierta, mi bien, despierta . . .

44

La biblioteca de mi escuela

Alfredo—Bernardo

Alfredo: ¿Cómo se llama su escuela?
Bernardo: Mi escuela se llama Lincoln.
Alfredo: ¿Cuántos alumnos hay en su escuela?
Bernardo: Hay muchos alumnos.
Alfredo: ¿Son aplicados (industrious)?
Bernardo: Algunos son aplicados; otros son perezosos (lazy).
Alfredo: ¿Son simpáticas (nice) las muchachas?
Bernardo: Sí, muchas alumnas son muy simpáticas.
Alfredo: ¿Hay biblioteca en la escuela?
Bernardo: Sí, hay una biblioteca muy buena.
Alfredo: ¿Hay revistas interesantes en la biblioteca?
Bernardo: Sí, hay muchos libros y muchas revistas interesantes.
Alfredo: ¿Está su clase cerca de la biblioteca?
Bernardo: No, está bastante lejos (quite far).

45

En la biblioteca de la escuela hay muchos libros interesantes.

NARRACIÓN

Mi clase es grande. Tiene muchos asientos (seats). Hay una mesa cerca de la ventana. La pizarra está cerca de la puerta.

En una pared hay una bandera de México y un mapa grande. Hay un reloj enfrente de los alumnos y un tablero detrás de (behind) los alumnos.

¿Sí o No?

1. Hay una bandera de los Estados Unidos en la escuela. 2. Todos los alumnos son aplicados. 3. Todas las muchachas son simpáticas. 4. La biblioteca tiene muchas revistas. 5. Las ventanas de la escuela son pequeñas. 6. Hay un reloj en la pared. 7. Hay una puerta cerca de la ventana. 8. La tiza está cerca de la pizarra. 9. Hay un mapa de México en la clase. 10. Siempre hay muchos papeles en el cesto.

ESTRUCTURA A

Plural de los adjetivos

singular	*plural*
El muchach**o** es aplicad**o**.	Los muchach**os** son aplicad**os**.
La muchach**a** es simpátic**a**.	Las muchach**as** son simpátic**as**.

Adjectives must be made plural when describing a plural noun.

Es una revista popular.	Son revistas popular**es**.
La pluma es azul.	Las plumas son azul**es**.

The plural of adjectives, like the plural of nouns, is formed by adding **-s** if the adjective ends in a vowel (**simpático, simpáticos**), or **-es** if the adjective ends in a consonant (**azul, azules**).

PRÁCTICA

Sustitución

1. Los alumnos son aplicados.
   ___ muchachas _____.
2. Los amigos son simpáticos.
   ___ señoritas _____.
3. Tengo tres revistas populares.
   _____ libros _____.
4. Algunos asientos son pequeños.
   _____ sillas _____.
5. Los cuadros son bonitos.
   ___ paredes _____.
6. Hay dos armarios grandes.
   ___ dos puertas _____.
7. Hay una mesa cerca de la puerta.
   ___ un tablero _____.
8. Hay un cesto enfrente de la mesa.
   ___ una pizarra _____.
9. Hay un mapa detrás de la clase.
   ___ dos sillas _____.
10. La sala está lejos de la oficina.
    ___ biblioteca _____.

Sustitución

1. El muchacho es alto.   Los muchachos son altos.
   La amiga es simpática.   _____.
   La revista es buena.   _____.
   El asiento es pequeño.   _____.

47

El cuadro es bonito.   _____.
La silla es grande.   _____.
La pared es azul.   _____.

2. Es un alumno aplicado.   Son alumnos aplicados.
    Es una muchacha bonita.   _____.
    Es un libro interesante.   _____.
    Es un mapa grande.   _____.
    Es una lección importante.   _____.
    Es una señorita simpática.   _____.
    Es un señor inteligente.   _____.
    Es una revista popular.   _____.
    Es una pluma roja.   _____.

ESTRUCTURA B

Como se expresa *how much, how many* en español (continuación de
la Lección 3)

¿Cuánto? ¿Cuánta? *How much?*

¿Cuántos? ¿Cuántas? *How many?*

¿Cuánto dinero tiene Ud.?   Yo tengo dos pesos.
¿Cuántos asientos hay?   Hay diez asientos.

¿Cuánta tiza hay?   Hay mucha tiza.
¿Cuántas revistas tiene Ud.?   Tengo tres revistas.

PRÁCTICA

Sustitución

1. ¿Cuántos libros tiene Ud.?
    ¿_____ plumas _____?
    ¿_____ dinero _____?
    ¿_____ centavos _____?

2. ¿Cuántas revistas hay en la oficina?
    ¿_____ lápices _____?

48

¿——— papeles ————————?

¿——— amigos ————————?

3. ¿Cuántos alumnos hay en la clase?

¿——— alumnas ——————?

¿——— libros ——————?

¿——— banderas ——————?

Preparación para el dictado

En la biblioteca de mi escuela hay muchos libros y revistas interesantes. Algunos alumnos son aplicados y otros perezosos.

La clase tiene muchos asientos, y hay muchos alumnos en la clase.

Repaso 1

I. *Divida las palabras en sílabas:*
Divide the following words into syllables.

Modelos: presidente   pre-si-den-te   mercado   mer-ca-do

1. noches   2. familias   3. director   4. cuaderno   5. pequeño
6. biblioteca   7. animales   8. América   9. perezosos   10. asientos

II. *Cambie el sujeto a la forma femenina:*
Write the following sentences, changing the subject to the feminine form of the noun.

Modelo: El profesor está en la clase.   La profesora está en la clase.

1.   El alumno está ausente.
2.   El muchacho no tiene su libro.
3.   El señor tiene un perro.
4.   El padre está en casa.
5.   El director está en la oficina.

III. *Escriba el plural de las palabras en letra bastardilla:*
Write the following sentences, changing the words in italics to the plural.

Modelo: ¿Quién tiene *el papel?*   ¿Quién tiene *los papeles?*

1.   Tráigame Ud. *el lápiz,* por favor.
2.   *El profesor está* en la escuela.

3. En *la clase* de español hay muchos alumnos.
4. En *el mercado* hay muchas frutas.
5. Hay muchas flores en *el jardín*.

IV. *Escriba en español:*
Write in Spanish.

Modelos: $3 + 4 = 7$ tres y cuatro son siete.
$\quad\quad\quad\;\; 8 - 5 = 3$ ocho menos cinco es tres.

1.	$5 + 5 = 10$	6.	$8 - 2 = 6$
2.	$2 + 4 = 6$	7.	$10 - 3 = 7$
3.	$7 + 2 = 9$	8.	$4 - 1 = 3$
4.	$6 + 1 = 7$	9.	$7 - 5 = 2$
5.	$4 + 4 = 8$	10.	$9 - 4 = 5$

V. *Empareje:*
Write an appropriate response from column B for each of the items in column A.

A

1. ¡Hola, Pablo! ¿Qué tal?
2. Gracias.
3. Tráigame su papel, por favor.
4. Creo que Alicia está ausente.
5. Hasta luego.
6. Buenas tardes, señorita.
7. ¡Quién está ausente?
8. Hoy no tengo mi papel.

B

(a) Adiós.
(b) ¿Cómo está usted, señor?
(c) Bastante bien, ¿y tú?
(d) De nada.
(e) ¡Qué lástima!
(f) Lo siento mucho.
(g) Con mucho gusto.
(h) Nadie.

VI. *Frases locas*
Ordene las frases:
Arrange the following sentences in correct word order.

Modelo: Usted perro un tiene.   Usted tiene un perro.

1. Hay parque bonitas el en flores.
2. Mi favorita flor rosa la es.
3. Una María tiene bonita amiga.
4. La cuaderno quiere grande un alumna.
5. ¿Hay pizarra una los alumnos detrás de?

51

VII. *Diálogo dirigido*

1. Juan meets his friend Ricardo on the way to Spanish class.

           Juan greets his friend and asks how he is.

Juan: —————————. ¿——————————? ¿——————————?

           Ricardo says he's fine.

Ricardo: —————————————————————————.

           Juan asks if Ricardo has his Spanish book.

Juan: ¿—————————————————————————?

           Ricardo says that it's at home.

Ricardo: —————————————————————————.

           Juan says that it's too bad.

Juan: —————————————————————————.

2. Roberto does not have his pen. He tells his teacher about it.

Roberto: —————————————————————————.

           The teacher asks who has Roberto's pen.

Profesora: ¿—————————————————————————?

           Julia says that she thinks Carlos has the pen.

Julia: —————————————————————————.

           Roberto asks his friend Carlos if he has the pen.

Roberto: ¿—————————————————————————?

           Carlos says that he doesn't have it.

Carlos: —————————————————————————.

           Julia sees a pen on a desk near her, and asks Roberto if it is his pen.

Julia: —————————————. ¿——————————?

           Roberto says, "Yes." He thanks Julia and asks her to please give him the pen.

Roberto: —————————————————————————.

VIII. *Composición dirigida   Mi escuela*

Escriba una composición de 5 líneas empleando las preguntas siguientes:

Write a composition of 5 lines using the following sentences.

1. ¿Cómo se llama su escuela?
2. ¿Hay muchos alumnos en la escuela?
3. ¿Hay muchos alumnos aplicados en su escuela?
4. ¿Es grande su clase?
5. ¿Tiene su escuela una biblioteca?

Lección 6

¿Qué estudia usted?

Alfredo—Bárbara

Alfredo: ¿Qué estudia Ud. en la escuela?

Bárbara: Estudio el inglés, el español, la historia, las ciencias y las matemáticas.

Alfredo: ¿Por qué (Why) estudia Ud. el español?

Bárbara: Estudio el español porque (because) deseo visitar México.

Alfredo: ¿Es difícil el español?

Bárbara: No, no es difícil; es fácil.

Alfredo: ¿Hablan Uds. español en la clase?

Bárbara: Sí, porque la profesora explica las lecciones en español.

Alfredo: ¿Quién es la profesora de español?

Bárbara: La profesora Domínguez.

Alfredo: ¿Prepara Ud. las lecciones todos los días (every day)?

Bárbara: Sí, siempre (always) preparo las lecciones.

Alfredo: ¿Contesta Ud. (Do you answer) bien en la clase?

Bárbara: Generalmente yo contesto bien en mi clase.

Alfredo: ¿Cantan Uds. (Do you sing) canciones españolas en la clase?

Bárbara: Sí, cantamos muchas canciones españolas.

55

ESTRUCTURA

Primera conjugación   verbos en -ar
Presente de **hablar** *to speak*

The present tense of **-ar** verbs (**hablar,** etc.) is formed by dropping the **-ar** of the infinitive and adding to the stem of the verb the following endings:

Yo	habl	o	español.
Tú	habl	as	español.
Ud., Él, Ella	habl	a	español.
Nosotros	habl	amos	español.
Vosotros	habl	áis	español.
Uds., Ellos, Ellas	habl	an	español.

Note: Yo **hablo**   *I speak, I do speak, I am speaking*
¿Habla Ud.?   *Do you speak, Are you speaking?*

PRÁCTICA

Sustitución

1.   Estudio en la clase.
_____ en casa.
_____ en la escuela.
_____ en el parque.
_____ en la biblioteca.

2.   Estudiamos el francés en la clase.
_____ el inglés en la clase.
_____ poco en la clase.
_____ el español en la clase.
_____ mucho en la clase.

Conteste

1.   ¿Habla Ud. español?   Sí, hablo español.
¿Estudia Ud. mucho?   _____.
¿Prepara Ud. las lecciones de español?   _____.
¿Canta Ud. en la clase?   _____.

2.   ¿Hablan Uds. inglés?   Sí, hablamos inglés.
¿Estudian Uds. en casa?   _____.
¿Visitan Uds. el parque?   _____.
¿Cantan Uds. bien?   _____.

56

Transformación al negativo

1. Daniel habla francés.	Daniel no habla francés.
2. _____ canta bien.	_____.
3. _____ estudia todos los días.	_____.
4. _____ contesta en español.	_____.
5. _____ desea visitar México.	_____.

Transformación al plural usando el negativo

1. Ud. habla mucho.	Ud. y Roberto no hablan mucho.
2. Elena canta bien.	Elena y Gloria _____.
3. Ud. explica todo.	Ud. y Carmen _____.
4. Pablo desea papel.	Pablo y Enrique _____.
5. Felipe estudia.	Ricardo y Felipe _____.

Sustitución

1. Mis amigos no hablan francés.
   Ud. _____.
   Yo _____.
   Uds. _____.
   Tú _____.
   Pepe y yo _____.
   Carmen _____.

2. Cantamos en español.
   Uds. _____.
   Yo _____.
   Isabel _____.
   Tú _____.
   Alicia y yo _____.
   Ud. y María _____.

3. ¿Estudia Ricardo todos los días?
   ¿_____ yo _____?
   ¿_____ Carlos y yo _____?
   ¿_____ los alumnos _____?
   ¿_____ tú _____?
   ¿_____ Uds. _____?
   ¿_____ Antonio _____?

4. ¿Prepara Ud. la lección?
   ¿_____ nosotros ___?
   ¿_____ él _____?
   ¿_____ yo _____?
   ¿_____ Uds. _____?
   ¿_____ tú _____?
   ¿_____ ellos _____?

Preguntas personales

1. ¿Habla Ud. español con los amigos? 2. ¿Cantan Uds. en la clase de español? 3. ¿Estudian mucho los alumnos? 4. ¿Desea Ud. visitar México? 5. ¿Habla francés su amigo? 6. ¿Es difícil el francés? 7. ¿Con quién estudia Ud?

57

Lección 7

¿Qué leen Luis y Eduardo?

Juan—Luis—Eduardo

Juan:	¿Qué lee usted ahora?
Luis:	Leo un periódico español.
Juan:	¡Un periódico español! ¿Comprende Ud. el español?
Luis:	Sí, comprendo el español bastante bien.
Juan:	Ud. aprende (You're learning) el español en la escuela, ¿verdad?
Luis:	Sí, mi amigo y yo aprendemos el español en la escuela.
Juan:	¿Leen Uds. periódicos en la clase de español?
Luis:	Sí, leemos muchos periódicos.
Juan:	Eduardo, dame la revista.
Eduardo:	Es una revista española. Tú no lees el español.
Juan:	No, pero comprendo muchas palabras.
Eduardo:	¿Deseas leer el español?
Juan:	Sí.
Eduardo:	Pues, aquí tienes la revista.
Juan:	Gracias.

59

ESTRUCTURA A

Segunda conjugación   verbos en **-er**
Presente de **leer**   *to read*

The present tense of **-er** verbs (**leer,** etc.) is formed by dropping the **-er** of the infinitive and adding to the stem of the verb the following endings:

Yo	le	o	el periódico.
Tú	le	es	el periódico.
Ud., Él, Ella	le	e	el periódico.
Nosotros	le	emos	el periódico.
Vosotros	le	éis	el periódico.
Uds., Ellos, Ellas	le	en	el periódico.

Note: Yo **leo**   *I read, I do read, I am reading*
¿**Lee** Ud.?   *Do you read, Are you reading?*

PRÁCTICA

Sustitución

1. Pedro lee el periódico.
    El muchacho _____.
    Ud. _____.
    Mi amigo _____.
    Mi padre _____.

2. No comprendo la lección.
    _____ la palabra.
    _____ el libro.
    _____ el francés.

3. Los alumnos aprenden el español.
    Uds. _____.
    Mis amigos _____.
    Isabel y Luisa _____.
    Ud. y Ana _____.

4. Ana y yo aprendemos la canción.
    Mi amigo y yo _____.
    Eduardo y yo _____.
    Juan y yo _____.
    Dolores y yo _____.

5. ¿Por qué (Why) no lees el libro?
    ¿_____ la revista?
    ¿_____ el periódico?

    Porque (Because) no tengo libro.
    _____ revista.
    _____ periódico.

6. José no comprende las palabras.   7. Leemos en la biblioteca.

Uds. _____.   Los alumnos _____.

Tú _____.   Tú _____.

Las muchachas _____.   El profesor _____.

Mi amigo y yo _____.   Uds. _____.

Ud. _____.   Yo _____.

8. Tú estudias y aprendes mucho.

Yo _____.

Gloria _____.

Los alumnos _____.

Ud. _____.

María y yo _____.

Observe bien los dos verbos:

habl	ar	*to speak*	comprend	er	*to understand*
habl	o		comprend	o	
habl	as		comprend	es	
habl	a		comprend	e	
habl	amos		comprend	emos	
habl	áis		comprend	éis	
habl	an		comprend	en	

Preguntas personales

1. ¿Aprende Ud. mucho en la escuela?   2. ¿Hablan Uds. español en la clase?   3. ¿Leen Uds. periódicos?   4. ¿Cantan Uds. mucho en español?   5. ¿Comprenden Uds. las lecciones?   6. ¿Estudia Ud. todos los días?   7. ¿Lee Ud. mucho en casa?   8. ¿Es fácil comprender el español?

ESTRUCTURA B

Los números 1–20

1	uno	3	tres
2	dos	4	cuatro

5	cinco	13	trece
6	seis	14	catorce
7	siete	15	quince
8	ocho	16	diez y seis (dieciséis)
9	nueve	17	diez y siete (diecisiete)
10	diez	18	diez y ocho (dieciocho)
11	once	19	diez y nueve (diecinueve)
12	doce	20	veinte

Note the two forms for numbers 16 to 19.

PRÁCTICA

1. Cuente de uno a diez.
2. Cuente de once a quince.
3. Cuente de dieciséis a veinte.

Complete (**Note: y = +   menos = −**)

1. Diez y uno son once.
   Diez y dos _____.
   Diez y tres _____.

   Diez y cuatro _____.
   Diez y cinco _____.

2. Veinte menos uno es diecinueve.
   Veinte menos dos _____.
   Veinte menos tres _____.

   Veinte menos cuatro _____.
   Veinte menos cinco _____.

Conteste

1. ¿Cuántos son cinco y tres? _____.
2. ¿Cuántos son trece y dos? _____.
3. ¿Cuántos son catorce y cuatro? _____.
4. ¿Cuántos son nueve y ocho? _____.
5. ¿Cuántos son siete y cinco? _____.
6. ¿Cuántos son quince menos tres? _____.
7. ¿Cuántos son once menos dos? _____.
8. ¿Cuántos son dieciocho menos dieciséis? _____.
9. ¿Cuántos son veinte menos quince? _____.
10. ¿Cuántos son quince menos once? _____.

62

Escriba una pregunta para cada frase

Modelo: Sí, comprendo el español bastante bien.
                ¿Comprende Ud. el español?

1. Leemos periódicos en la clase.
   ¿———————————?

2. No, pero comprendo muchas palabras.
   ¿———————————————?

3. Sí, los alumnos aprenden mucho español.
   ¿———————————————?

4. Mis amigos aprenden el español en la clase.
   ¿————————————————?

5. Yo leo una revista interesante.
   ¿———————————?

6. Los periódicos están en la biblioteca.
   ¿————————————?

7. Cinco y tres son ocho.
   ¿—————————?

8. José lee una revista española.
   ¿—————————?

9. Quito está en el Ecuador.
   ¿———————————?

10. Pedro y María leen muchos periódicos.
    ¿————————————————?

Cinco cartas para Bernardo

Alfredo — Bernardo

Alfredo: ¿Dónde vive Ud.?
Bernardo: Vivo en la calle de Santiago, 10.
Alfredo: ¿Tiene Ud. teléfono?
Bernardo: Sí, tengo teléfono.
Alfredo: ¿Cuál es el número de su teléfono?
Bernardo: El número de mi teléfono es Arizona cero, ocho, siete, cinco. (0875.)
Alfredo: ¿Dónde vive su amigo?
Bernardo: Vive en la avenida de Catalina.
Alfredo: ¿Viven Uds. lejos de la escuela?
Bernardo: No, vivimos muy cerca de la escuela.
Alfredo: ¿Recibe Ud. muchas cartas de sus amigos?
Bernardo: No, no recibo muchas cartas.
Alfredo: ¿Escribe Ud. a sus amigos?
Bernardo: Sí, escribo, pero mis amigos no contestan.

Cinco cartas para Bernardo

Gran Cañón

65

ESTRUCTURA A

Tercera conjugación   verbos en **-ir**
Presente de **vivir** *to live*

Vivo* lejos.
Vives lejos.
Vive lejos.
Vivimos lejos.
Vivís lejos.
Viven lejos.

The present tense of verbs ending in **-ir**, (**vivir, escribir, recibir**) has the same endings as **-er** verbs with the exception of the **nosotros** form which ends in **-imos** and the **vosotros** form which ends in **ís**.

Observe bien los tres verbos:

habl	ar	comprend	er	recib	ir
habl	o	comprend	o	recib	o
habl	as	comprend	es	recib	es
habl	a	comprend	e	recib	e
habl	amos	comprend	emos	recib	imos
habl	áis	comprend	éis	recib	ís
habl	an	comprend	en	recib	en

PRÁCTICA

Sustitución

1. Vivo en la calle Alvarado.
   _____ Pico.
   _____ Colón.

2. El señor vive en Colorado.
   La familia _____.
   Ud. _____.

*Note the omission of the subject pronouns (**yo, él,** etc.). Spanish does not always require the use of these pronouns, since the verb ending usually indicates the subject. **Ud.** and **Uds.**, however, are generally used for the sake of courtesy.

3. Tú no escribes en el libro.
_____ en el cuaderno.
_____ en la pizarra.

4. Dolores y yo recibimos flores.
_____ revistas.
_____ libros.

5. Uds. reciben periódicos.
Las muchachas _____.
Ud. y Luis _____.

Sustitución

1. Escribo la lección en la pizarra.
Ud. _____.
Uds. _____.
El profesor _____.
Tú _____.
Ana y yo _____.

2. Uds. viven en América.
Yo _____.
Tú _____.
Mi familia _____.
Mis amigos y yo _____.
Ud. _____.

3. Mis amigos reciben cartas de México.
Tú _____.
Dolores _____.
Uds. _____.
Carlos y yo _____.
Ud. y Pepe _____.

Preguntas personales

1. ¿En qué calle viven Uds? 2. ¿Cuál es el número de su casa?
3. ¿Vive Ud. cerca de la escuela? 4. ¿Es grande su clase de español? 5. ¿Reciben Uds. periódicos de México? 6. ¿Leen Uds. mucho en la clase? 7. ¿Escriben Uds. en la pizarra?

NOTAS CULTURALES

1. Hay veinte repúblicas en la América Latina: México, las seis repúblicas de Centroamérica, Cuba, Haití, Santo Domingo y las diez repúblicas de Sudamérica.
2. México es un país de muchos contrastes. La ciudad de México es la capital de la república. Es una ciudad muy moderna.
3. En los países de Centroamérica hay lagos (lakes) bonitos y montañas pintorescas.

América del Sur

Rio de Janeiro. En el Brasil los habitantes hablan portugués.

4. El Brasil es una nación grande de Sudamérica. Allí hablan portugués.

5. La Argentina es otra república importante de Sudamérica. Es el país de las pampas y del gaucho. Buenos Aires es la capital y el puerto principal de la república. Buenos Aires es una ciudad grande, hermosa y muy moderna.

6. Chile es un país largo (long) y estrecho (narrow). La Argentina, el Brasil y Chile son tres países muy importantes de Sudamérica.

7. El Ecuador está situado en el ecuador (equator). Bolivia y el Paraguay no tienen costas. Colombia es el país de las esmeraldas.

8. Otros países de Sudamérica son Venezuela, el Perú y el Uruguay. Venezuela exporta mucho petróleo a los Estados Unidos.

¿Sí o No?

1. Hay diez repúblicas en la América Latina. 2. Buenos Aires es la capital del Brasil. 3. Hay lagos bonitos y montañas pintorescas en Centroamérica. 4. Todos los países de Sudamérica tienen costas. 5. Colombia es un país largo y estrecho. 6. En el Brasil hablan español. 7. La Argentina no tiene puerto. 8. Chile es el país de las pampas. 9. México es un país de muchos contrastes. 10. Venezuela exporta petróleo a los Estados Unidos.

ESTRUCTURA B

Contracción: **de + el = del**   *of the, from the*

la capital **del** país, el país **del** gaucho, la oficina **del** director

When **de** is followed by **el** the two words are combined into **del**.

De los, de la, de las, de él are never combined into one word.

el puerto principal **de la** república
el país **de las** pampas
la capital **de los** Estados Unidos
el libro **de él** (*his book*)

PRÁCTICA

Sustitución

1. ¿Dónde está la casa del director?
   ¿_____ señor?
   ¿_____ profesor?
   ¿_____ doctor?

2. Las tiendas de la calle son bonitas.
   _____ avenida _____.
   _____ ciudad _____.
   _____ capital _____.

3. Los ríos de los países son grandes.
   _____ Estados Unidos __.
   _____ continentes _____.

4. Es el país de las señoritas.
   _____ amigas.
   _____ muchachas.

5. ¿Quién es el padre de la nación?
   ¿_____ muchachas?
   ¿_____ alumno?
   ¿_____ familia?
   ¿_____ señoritas?
   ¿_____ amigo?

Preguntas personales

1. ¿Cómo se llama su país?   2. ¿Es un país grande o pequeño?
3. ¿Es un país de muchos contrastes?   4. ¿Es un país progresivo?
5. ¿Cuál es la capital del país?   6. ¿Hay muchas ciudades grandes y modernas en su país?   7. ¿Cuál es el puerto principal del país?
8. ¿Es un puerto hermoso?   9. ¿Hay lagos bonitos y montañas pintorescas en su país?   10. ¿Tiene su país muchos monumentos históricos?

Lección 8

La Carretera Panamericana

La Carretera (Highway) Panamericana es muy larga. La carretera comienza (begins) en Alaska, pasa por el Canadá, los Estados Unidos, México, Centroamérica y Sudamérica y termina (ends) en Buenos Aires, capital de la Argentina.

La Carretera Panamericana es importante para el comercio y para la defensa de las Américas. Une (It unites) ciudades grandes con muchos pueblos (towns) pequeños. En muchos países es el camino principal de la nación.

La Carretera Panamericana no está completa todavía (yet). Algunas partes de la Carretera pasan por selvas (jungles) tropicales; otras partes pasan por montañas altas. La construcción de la Carretera cuesta mucho dinero.

Muchos turistas de los Estados Unidos usan la Carretera Panamericana para ir (to go) en automóvil a la ciudad de México. Es muy interesante viajar (to travel) por la carretera y observar la vida (life) y las costumbres (customs) de nuestros vecinos (our neighbors).

73

¿Sí o No?

1. La Carretera Panamericana es larga. 2. Es el camino principal de los Estados Unidos. 3. Hay muchos pueblos pequeños cerca de la Carretera. 4. La Carretera es importante para la defensa de España. 5. México es nuestro vecino. 6. Es interesante viajar por la Carretera. 7. La Carretera Panamericana no está completa todavía. 8. Muchos turistas van a Centroamérica por la Carretera.

ESTRUCTURA A

Presente del verbo irregular **ir** *to go, to be going*

V	oy		la biblioteca.
V	as		la oficina.
V	a		la ciudad.
V	amos	a	la escuela.
V	ais		Madrid.
V	an		Guatemala.

PRÁCTICA

Sustitución

1. Voy a la ciudad.
   _____ a la escuela.
   _____ a casa.

2. Vamos a México.
   _____ a Guatemala.
   _____ a Colorado.

3. ¿Vas con Antonio?
   ¿_____ con Diego?
   ¿_____ con Paco?

4. Uds. no van todavía.
   Las muchachas _____.
   Roberto y Luis _____.

5. Mi madre va a la tienda.
   Carmen _____.
   Ud. _____.

Sustitución

1. El turista va a México.   Los turistas van a México.
   La profesora va a la oficina.   _____.
   Ud. va a la tienda.   _____.
   La carretera va a la capital.   _____.

Vancouver
Winnipeg
Seattle
San Francisco
Chicago
New York
St. Louis
Washington
Los Angeles
Dallas
Jacksonville
Nuevo Laredo
New Orleans
Miami
Monterrey
La Habana
Guadalajara
México
Guatemala
Caracas
San Salvador
Managua
San José
Panamá
Canal de Panamá
ogotá
Quito
Lima
La Paz
Brasília
Asunción
Río de Janeiro
Santiago
Buenos Aires
Montevideo

OCÉANO ATLÁNTICO

ECUADOR

OCÉANO PACÍFICO

0   500   1000   1500
Escala de Millas

La Carretera Panamericana

2. Voy con Isabel.   Vamos con Isabel.
   Voy con Marta.   _____.
   Voy con la señora.   _____.
   Voy con la vecina.   _____.

3. ¿Por qué no vas a la escuela?   ¿Por qué no van Uds. a la escuela?
   ¿Por qué no vas a casa?   ¿_____?
   ¿Por qué no vas a la biblioteca? ¿_____?
   ¿Por qué no vas a la ciudad?   ¿_____?

Sustitución

1. María va a la biblioteca.   2. Uds. van con Dolores.
   Yo _____.   Jorge y yo _____.
   Uds. _____.   Tú _____.
   Jorge _____.   Mis amigos _____.
   Tú _____.   Isabel _____.

Las turistas observan la vida y las costumbres de sus vecinos.

76

Conteste

1. José, ¿vas a la escuela?   Sí, voy a la escuela.
   María, ¿vas a la ciudad?   _____.
   Pancho, ¿vas a casa?   _____.

2. ¿Van Uds. a la fiesta?   No, no vamos a la fiesta.
   ¿Van Uds. a las montañas?   _____.
   ¿Van Uds. a la tienda?   _____.

3. Señor López, ¿va Ud. a México?   Sí, voy a México.
   ¿Va. Ud. en automóvil?   _____.
   ¿Va Ud. con su familia?   _____.
   ¿Va Ud. a la capital?   _____.

ESTRUCTURA B

Contracción: **a + el = al**   *to the*

Voy		mercado.
Vas		parque.
Va	al	pueblo.
Vamos		jardín.
Vais		norte.
Van		sur.

A la, a los, a las are never combined into one word.

PRÁCTICA

Sustitución

1. Varios turistas van al pueblo.
   _____ mercado.
   _____ parque.
   _____ jardín.

2. Pocos indios van a la escuela.
   _____ ciudad.
   _____ universidad.
   _____ biblioteca.

3. El doctor habla a los muchachos.
   _____ profesores.
   _____ padres.
   _____ señores.

4. Ud. explica todo a las muchachas.
   _____ señoritas.
   _____ alumnas.
   _____ madres.

77

5. Escribimos cartas al presidente.

    _____ amigos.

    _____ familia.

    _____ señor.

    _____ vecinos.

    _____ profesor.

    _____ muchachas.

6. Quiero ir a los pueblos pequeños.

    _____ país.

    _____ ciudad.

    _____ mercado.

    _____ tiendas.

    _____ universidad.

    _____ parque.

Preguntas personales

1. ¿Hay una carretera importante en su ciudad? 2. ¿Es larga la carretera? 3. ¿Pasan muchos automóviles por la carretera? 4. ¿Visitan la ciudad muchos turistas? 5. ¿Hay buenos caminos en la ciudad? 6. ¿Va Ud. a la escuela con un amigo? 7. ¿Van Uds. en automóvil? 8. ¿Tiene Ud. buenos vecinos?

ESTRUCTURA C

Género de los nombres (continuación de la Lección 2)

La ciudad es grande.

La pared es grande.

La nación es importante.

La construcción es importante.

Nouns ending in **-d** and **ión** are generally feminine.

El programa es interesante.

El sistema es bueno.

El mapa es grande.

El problema es fácil.

A few Spanish nouns ending in **-ma, -pa,** are masculine.

el turista   la turista

el artista   la artista

Nouns ending in **-ista** may be masculine or feminine.

PRÁCTICA

Sustitución

1. Son naciones grandes.

Es una nación grande.

2. Son conversaciones largas. _____.
3. Son ciudades bonitas. _____.
4. Son artistas famosos. _____.
5. Son programas interesantes. _____.
6. Son mapas de México. _____.
7. Son turistas mexicanos. _____.
8. Son lecciones fáciles. _____.
9. Son paredes altas. _____.
10. Son días hermosos. _____.

Estudio de palabras

Some words ending in *-ist* in English end in **-ista** in Spanish.

Traduzca al español:

1. florist	2. pianist	3. motorist
4. violinist	5. materialist	6. artist
7. idealist	8. optimist	9. realist

Many words ending in *-tion* in English end in **-ción** in Spanish.

the nation la nación *the imitation* la imitación

Traduzca al español:

1. the conversation	2. the invitation	3. the invention
4. the action	5. the construction	6. the description
7. the operation	8. the section	9. the education

La influencia de la cultura española existe todavía en muchas partes de los Estados Unidos.

Major Areas of Spanish-American Population

LANSING
10,000 MEXICAN-AMERICANS

SAGINAW
4,000 MEXICANS

CHICAGO-GARY
300,000 MEXICAN-AMERICANS
100,000 PUERTO RICANS

NEW YORK CITY
1.2 MILLION
PUERTO RICANS
100,000 CUBANS

PHILADELPHIA
50,000
PUERTO RICANS
5,000 CUBANS

NEWARK
55,000
PUERTO RICANS

HOBOKEN
15,000
PUERTO RICANS

JERSEY CITY
25,000
PUERTO RICANS

COLORADO
210,000
MEXICAN-
AMERICANS

CALIFORNIA
2.6 MILLION
MEXICAN-AMERICANS

ARIZONA
280,000
MEXICAN-
AMERICANS

NEW MEXICO
300,000
MEXICAN-
AMERICANS

TEXAS
2 MILLION
MEXICAN-
AMERICANS

MIAMI
250,000 CUBANS

LOS ANGELES
1 MILLION MEXICAN-
AMERICANS
45,000 PUERTO RICANS

SAN ANTONIO
300,000
MEXICAN-AMERICANS

NEW ORLEANS
30,000
CUBANS

FLORIDA
35,000
PUERTO RICANS

PUERTO RICO
2.6 MILLION

Lección 9

La influencia española
en los Estados Unidos

La influencia de la cultura española existe todavía en muchas partes de nuestro país. Vemos (We see) esta influencia en los nombres de muchas ciudades como El Paso, San Francisco, Los Angeles, Santa Fe, y también en los nombres de algunos estados, ríos y montañas como Colorado, Río Grande y Sierra Nevada.

Vemos la influencia de la vida y las costumbres españolas en muchas palabras que usamos, como patio, siesta, plaza y fiesta. Estas palabras y muchas otras ahora (now) forman parte de la lengua inglesa. Cuando hablamos de la vida del rancho, usamos palabras españolas, como rodeo, hacienda y pinto.

Hay ciudades y pueblos en los Estados Unidos que tienen el aspecto de ciudades españolas. Tienen plaza con una iglesia, calles con nombres españoles y casas de arquitectura española con patios, balcones y rejas (iron gratings) en las ventanas.

Muchos habitantes de origen mexicano viven en el sudoeste de los Estados Unidos. Hay también en esta parte del país descendientes de antiguas familias españolas. Todos estos americanos hablan español, leen periódicos españoles y celebran fiestas españolas.

¿Sí o No?

1. Muchas ciudades norteamericanas tienen nombres españoles. 2. Hay periódicos españoles en los Estados Unidos. 3. Texas es un estado pequeño. 4. La Sierra Nevada es un río. 5. La Florida está al norte de los Estados Unidos. 6. Muchas familias de origen mexicano viven en el sudoeste de los Estados Unidos. 7. Muchas palabras

81

inglesas son de origen español.   8. Vemos plazas españolas en los Estados Unidos.   9. Siempre hay una iglesia en la plaza.   10. En el sudoeste todavía viven descendientes de antiguas familias españolas.

Preguntas personales

1. ¿En qué estado vive Ud.?   2. ¿Tiene su ciudad nombre español?   3. ¿Cuántas iglesias hay en la ciudad?   4. ¿Hay mucha influencia española en la ciudad?   5. ¿Tiene Ud. amigos de origen mexicano?   6. ¿Celebran Uds. fiestas españolas?   7. ¿Cuándo habla Ud. español?   8. ¿Hay muchas palabras españolas en la lengua inglesa?

ESTRUCTURA A

Adjetivos de nacionalidad

el nombre **español**	el muchacho **inglés**
los nombres **españoles**	los muchachos **ingleses**
la palabra **española**	la muchacha **inglesa**
las palabras **españolas**	las muchachas **inglesas**

Adjectives of nationality have four forms:

español	española	españoles	españolas
inglés	inglesa	ingleses	inglesas
francés	francesa	franceses	francesas
portugués	portuguesa	portugueses	portuguesas

Note that **inglés, francés** and **portugués** drop the accent mark in the feminine and plural forms.

Adjectives of nationality are not capitalized in Spanish.

PRÁCTICA

Forme el plural

1.   Es un muchacho mexicano.   Son muchachos mexicanos.

Es un señor inglés. _____.
Es un libro español. _____.
Es un periódico francés. _____.
Es un nombre portugués. _____.

2. Es una palabra portuguesa. Son palabras portuguesas.
Es una casa española. _____.
Es una iglesia mexicana. _____.
Es una revista francesa. _____.

Sustitución

1. Ana y yo leemos un libro francés.
_____ una carta _____.
_____ periódicos _____.
_____ revistas _____.

2. Vemos la influencia española.
_____ nombres _____.
_____ casas _____.
_____ pueblos _____.

3. El artista es italiano.
Mi vecino _____.
La familia _____.
Las canciones _____.

ESTRUCTURA B

Interrogativos

¿cómo?	how?	¿quién?	who?
¿qué?	what?	¿dónde? ¿adónde?	where?
¿por qué?	why?	¿cuánto, -a?	how much?
¿cuándo?	when?	¿cuántos, -as?	how many?

PRÁCTICA

Conteste

1. ¿Cómo está Ud.? Yo estoy bien, gracias.
2. ¿Qué estudia Ud.? Yo estudio el español.
   ¿Qué libro lee Ud.? _____.
3. ¿Por qué habla español? _____.

4. ¿Cuándo va Ud. a estudiar? ———————————.
5. ¿Quién es su amigo, (-a)? ———————————.
   ¿Quiénes estudian mucho en la
      clase de español? ———————————.
6. ¿Dónde estudia Ud.? ———————————.
   ¿Adónde va Ud. a estudiar? ———————————.
7. ¿Cuánto dinero tiene Ud.? ———————————.
8. ¿Cuántas muchachas hay en la
      clase? ———————————.

Escriba una pregunta para cada frase

Modelo: Yo estudio el español.   ¿Qué estudia Ud.?

1. Vamos a México mañana.   ¿————————————?
2. Estoy bien, gracias.   ¿————————————?
3. Son los alumnos de español.   ¿————————————?
4. Porque quiero hablar bien.   ¿————————————?
5. Estudiamos historia.   ¿————————————?
6. Hay cinco ventanas en la clase.   ¿————————————?
7. Yo trabajo en casa.   ¿————————————?
8. Soy de México.   ¿————————————?
9. Van a la cafetería.   ¿————————————?
10. Leo el libro de español.   ¿————————————?

Estudio de palabras

Países	Habitantes	Lenguas
España	los españoles	el español
Francia	los franceses	el francés
Inglaterra	los ingleses	el inglés
Portugal	los portugueses	el portugués
Italia	los italianos	el italiano
Alemania (Germany)	los alemanes	el alemán
el Japón	los japoneses	el japonés
Rusia	los rusos	el ruso
China	los chinos	el chino

Complete

1. Los españoles viven en _____.
2. La lengua nacional de Inglaterra es _____.
3. Los _____ son habitantes de Francia.
4. En _____ los habitantes hablan italiano.
5. Los _____ viven en Alemania.
6. Los japoneses son habitantes de _____.

ESTRUCTURA C

El artículo definido con los nombres de las lenguas

Estudio **el español.**	*I study Spanish.*
El inglés es difícil.	*English is difficult.*

but

Hablo **español.**	*I speak Spanish.*
Contesto **en inglés.**	*I answer in English.*
Es el profesor **de español.**	*He is the Spanish teacher.*

In Spanish the definite article **el** is used before the name of a language.
It is omitted when the name of the language comes immediately after
hablar, de, or **en.**
The name of a language is not capitalized in Spanish.

Sustitución

1. Los alumnos aprenden el francés.
   _____ español.
   _____ portugués.

2. Ese señor habla español.
   _____ francés.
   _____ portugués.

3. El portugués es una lengua difícil.
   El francés _____.
   El inglés _____.

4. ¿Quién es la profesora de inglés?
   ¿_____ francés?
   ¿_____ español?

Lección 10

Mi familia

Alfredo—Bernardo

Alfredo: ¿Cuántas personas hay en su familia?

Bernardo: Hay cinco: mi madre, mi padre, mi hermano Pepe, mi hermana Julia y yo.

Alfredo: ¿Cuántos años tiene (How old is) Pepe?

Bernardo: Pepe tiene 12 años. Es mi hermano menor.

Alfredo: ¿Cuántos años tiene Ud.?

Bernardo: Yo tengo 14 años y Julia tiene 15. Es mi hermana mayor.

Alfredo: ¿Cómo se llaman los padres de su madre?

Bernardo: Mi abuela se llama María y mi abuelo Juan.

Alfredo: ¿Con quién viven sus abuelos?

Bernardo: Mis abuelos viven con mi tía Margarita, hermana de mi madre.

Alfredo: ¿Tienen Uds. primos?

Bernardo: Sí, tenemos tres primos. Su madre es mi tía Margarita.

Preguntas personales

1. ¿Tiene Ud. una familia grande?   2. ¿Cuántas personas hay en su familia?   3. ¿Tiene Ud. un hermano mayor? ¿Una hermana menor?   4. ¿Cómo se llama su hermano? ¿Su hermana?   5. ¿Tiene Ud. abuelos?   6. ¿Dónde viven sus abuelos?   7. ¿Tiene Ud. tíos?   8. ¿Quién es su tío preferido?   9. ¿Tienen Uds. muchos primos?   10. ¿Viven lejos de su casa?   11. ¿Quién es el menor de su familia?   12. ¿Cuántos años tiene Ud.?

87

ESTRUCTURA A

Presente de **tener**   *to have*

Tengo dos primos.	Tenemos tres hermanas.
Tienes tres hermanos.	Tenéis seis primas.
Ud. tiene cuatro abuelos.	Uds. tienen cuatro abuelos.
Él tiene cinco amigos.	Ellos tienen cinco amigos.
Ella tiene cinco amigas.	Ellas tienen cinco amigas.

PRÁCTICA

Sustitución

1. No tengo mucho dinero.   No tenemos mucho dinero.
2. Ud. tiene tíos simpáticos.   _____.
3. El muchacho tiene quince años.   _____.
4. Tengo vecinos mexicanos.   _____.
5. Tienes muchos amigos.   _____.
6. Mi tío tiene una casa bonita.   _____.

Conteste

1. ¿Tienen Uds. un radio?   Sí, tenemos un radio.
   ¿Tienen Uds. dos automóviles?   _____.
   ¿Tienen Uds. un perro?   _____.
   ¿Tienen Uds. teléfono?   _____.

2. ¿Tienes mi lápiz, Juan?   No, no tengo tu lápiz.
   ¿Tienes diez centavos, Enrique?   _____.
   ¿Tiene Ud. hermanas?   _____.
   ¿Tiene Ud. un hermano mayor?   _____.

3. ¿Cuántos años tiene su amigo? (catorce)   Tiene catorce años.
   ¿Cuántos años tiene Ud.? (trece)   _____.
   ¿Cuántos primos tienen Uds.? (muchos)   _____.
   ¿Cuántos hermanos tiene su amiga? (tres)   _____.
   ¿Cuántos abuelos tienes? (dos)   _____.

88

ESTRUCTURA B

Posesión

nombre		poseedor
el padre		Juan
el libro	de	Ud.
la tía		Julia
la casa		ellos

To express possession, the preposition **de** is placed between the noun and its possessor.

Adjetivos posesivos

Yo tengo un hermano.	Él es **mi** hermano.
Yo tengo dos hermanos.	Son **mis** hermanos.
Tú tienes una casa.	Es **tu** casa.
Tú tienes tres casas.	Son **tus** casas.

Possessive adjectives agree with the noun that follows.
Mi and **tu** are the adjectives which correspond to **yo** and **tú**. When the noun is plural, add **-s** to the possessive adjective.

Nosotros tenemos un radio.	Es **nuestro** radio.
Nosotros tenemos dos plumas.	Son **nuestras** plumas.

Nuestro corresponds to **nosotros**. The feminine form is **nuestra**. When the noun is plural, add **-s** to the possessive adjective.

El tío de Roberto.	**Su** tío.
La prima de María.	**Su** prima.
Las primas de María.	**Sus** primas.

Su corresponds to **Ud., él, ella, Uds., ellos** and **ellas**. When the noun is plural, add **-s** to the possessive adjective.

PRÁCTICA

Sustitución

1. Luis no tiene su libro hoy.   Luis no tiene sus libros hoy.

2. Isabel siempre lee mi periódico.   _____.

3. Uds. no aprenden su lección.   _____.

4. Dame tu papel, Roberto.   _____.

5. El señor es un amigo de nuestro tío.   _____.

6. Los muchachos van al rancho de su abuelo.   _____.

Transformación

1. Tengo la pluma de Elena. Tengo su pluma.
2. Arturo quiere el asiento de Carlos. _____.
3. ¿Dónde viven los abuelos de Ud.? ¿_____?
4. ¿Visita Ud. la escuela de sus amigos? ¿_____?
5. Mi tía es la hermana de mi madre. _____.
6. Vamos a la casa de mis primos. _____.

Combinación

Forme una sola frase usando los posesivos:

1. Yo tengo un perro. Es muy inteligente. Mi perro es muy inteligente.
2. Tú tienes un radio. Es muy bueno. _____.
3. Ud. tiene una casa. Es muy bonita. _____.
4. Nosotros tenemos una hermana. Es simpática. _____.
5. Nosotros tenemos dos primos. Son mexicanos. _____.
6. Ellos tienen un rancho. Es grande. _____.

Preparación para el dictado

Mis hermanos y yo vivimos en Madrid con nuestros padres. Mi hermana es muy bonita y tiene 15 años, un año más que yo. Nuestros primos viven en México con su madre y mis abuelos. Miguel es mi primo preferido.

Repaso 2

LECCIONES 6-10

I. *Escriba el plural:*

Modelo: ¿Dónde trabaja Ud.? ¿Dónde trabajan Uds.?

1. Mi amigo lee revistas interesantes. _____.
2. Deseo papel azul. _____.
3. El alumno siempre contesta bien. _____.
4. No hablo portugués. _____.
5. Ella tiene un lápiz verde. _____.
6. ¿Escribe Ud. las palabras en la pizarra? ¿_____?
7. ¿Cuándo va su amigo a México? ¿_____?
8. ¿Dónde vive Ud.? ¿_____?
9. ¿Quién estudia mucho? ¿_____?
10. ¿Recibe Ud. cartas de Colombia? ¿_____?

II. *Escriba el singular:*

Modelo: Aprendemos mucho en esta clase. Aprendo mucho en esta clase.

1. Los turistas visitan la capital. _____.
2. Las muchachas viven cerca del parque. _____.
3. Uds. reciben dinero de su padre. _____.
4. Nosotros vamos a Puerto Rico. _____.
5. Uds. tienen una revista interesante. _____.
6. ¿Van ellas a Santa Fe? ¿_____?
7. ¿Son grandes los ríos? ¿_____?
8. ¿Quiénes practican mucho? ¿_____?
9. ¿Comprenden Uds. bien la lección? ¿_____?
10. ¿Desean Uds. visitar muchos países? ¿_____?

93

III. *Empareje:*

A

1. Aquí tiene Ud. el dinero.
2. ¿Algo más?
3. Ud. habla bien el español, ¿verdad?
4. ¿Cuánto es, señor?
5. Déme un cuaderno, por favor.
6. ¿Por qué estudias el español?
7. ¿Cuándo va su familia a México?
8. ¿Quiere Ud. estudiar mañana?

B

(a) ¿Verde o rojo?
(b) Quince centavos.
(c) Todos los años.
(d) Muchas gracias.
(e) Creo que sí.
(f) No, ahora.
(g) No, gracias. Es todo.
(h) Quiero aprender la lengua.

IV. *Frases locas*
Ordene las frases:

Modelo: Años tiene Roberto quince. Roberto tiene quince años.

1. Bien bastante el español comprendo.
2. Pablo revistas las de son.
3. Director del oficina la es.
4. Mucho estudia no Enrique.
5. La Latina en América repúblicas hay veinte.

V. *Escriba cada frase usando la forma correcta del adjetivo:*

Modelo: Es una señora (francés).   Es una señora francesa.

1. Los artistas son (italiano). _____.
2. Es una iglesia (español). _____.
3. Pablo y Dolores son (portugués). _____.
4. Vamos a una iglesia (inglés). _____.
5. Vemos la influencia (español). _____.

VI. *Repaso de los números 1 a 20:*

1. dos, cuatro, _____, ocho.
2. tres, seis, _____, doce.
3. cuatro, ocho, _____, diez y seis.
4. veinte, quince, diez, _____.
5. doce, once, diez, _____.

6. veinte, catorce, ocho, _____.
7. trece, doce, once, _____, nueve.
8. catorce, doce, diez, _____.
9. uno, tres, cinco, siete, _____, once.
10. dieciocho, diecisiete, dieciséis, _____.

VII. *Use posesivos:*

Modelo: Yo tengo un perro.   Es mi perro.

1. Tú tienes una revista. _____.
2. Ella tiene una amiga bonita. _____.
3. Nosotros tenemos un teléfono. _____.
4. Ellas tienen un periódico. _____.
5. Tú tienes tres casas. _____.
6. Nosotros tenemos tres libros. _____.
7. Él tiene tres hermanas. _____.
8. Yo tengo seis tíos. _____.
9. Ella tiene un hermano menor. _____.
10. Ellos tienen una casa grande. _____.

VIII. *Escriba cada frase usando la forma correcta del verbo* **ir***:*

Modelo: ¿Adónde _____ ellas?   ¿Adónde van ellas?

1. José _____ a Guatemala. _____.
2. Ellos _____ con Marta. _____.
3. Tú _____ a la clase. _____.
4. Ud. y yo _____ con Paco. _____.
5. María y Pablo _____ también. _____.

IX. *Composición dirigida   Mi familia*

Escriba una composición de 5 líneas empleando las preguntas siguientes:

1. ¿Cuántas personas hay en su familia?
2. ¿Tiene Ud. un hermano menor o una hermana menor?
3. ¿Cómo se llaman sus padres?
4. ¿Cuántos años tiene Ud.?
5. ¿Vive Ud. cerca de sus abuelos?

Una casa de apartamentos de arquitectura española en San Francisco

Lección 11

Una familia hispanoamericana

La familia Sánchez vive en un pueblo hispanoamericano. El señor Sánchez tiene una tienda y trabaja (works) mucho. Su hijo Pedro tiene trece años. Pedro va a la escuela. Trabaja mucho también.

La señora Sánchez trabaja en casa. Prepara las comidas y cuida de (takes care of) los niños. La hija Carmen siempre ayuda a (helps) su madre.

Con la familia Sánchez viven dos primos, una tía (aunt) y los abuelos. En muchas familias hispanoamericanas viven en la misma casa los abuelos, los tíos y los primos.

Como muchas familias hispanoamericanas, la familia Sánchez tiene dos criadas (maids). Las criadas limpian (clean) la casa y ayudan a la señora Sánchez.

Los hijos respetan mucho a sus padres. Pasan mucho tiempo en casa con la familia. No salen (They do not go out) por la noche sin permiso.

El domingo es un día alegre para la familia Sánchez. Por la mañana ellos van a la iglesia; por la tarde visitan a sus amigos o van de paseo (for a walk) por la plaza, y por la noche van al cine. Nadie (No one) trabaja los domingos.

Preguntas sobre la narración

1. ¿Dónde vive la familia Sánchez? 2. ¿Quién trabaja en una tienda? 3. ¿Cómo se llama el hijo del señor Sánchez? 4. ¿Quién vive con la familia Sánchez? 5. ¿Salen los hijos por la noche sin permiso? 6. ¿Cómo pasa el domingo la familia Sánchez?

¿Sí o No?

1. Pedro tiene trece años.   2. Pedro es el hijo del señor Sánchez.   3. Los hijos no salen por la mañana sin permiso.   4. El señor Sánchez trabaja en una oficina.   5. La señora Sánchez trabaja en una oficina.   6. Los hijos pasan mucho tiempo en la plaza con la familia.   7. El domingo por la mañana van a la escuela.   8. En muchas familias hispanoamericanas viven en la misma calle los abuelos, los tíos y los primos.

ESTRUCTURA A

A Personal

El amigo visita **a** Carmen.	The friend visits Carmen.
Pedro ayuda **a** sus padres.	Peter helps his parents.
Los niños respetan **al** abuelo.	The children respect the grandfather.
Carmen visita **a** la familia.	Carmen visits the family.

but

Pedro visita la escuela.	Peter visits the school.
La familia tiene una criada.	The family has a maid.

In Spanish, a personal **a** must be used before the direct object of the verb when the direct object is a definite person (singular or plural) or a definite group of persons. The personal **a** is not translated into English.

Note that after the verb **tener** the personal **a** is not used.

PRÁCTICA

Sustitución

1. ¿Ayuda Ud. a sus amigos?
   ¿_____ los muchachos?
   ¿_____ su vecino?
   ¿_____ la señora?
   ¿_____ María?

2. El turista visita las escuelas.
   _____ el pueblo.
   _____ la ciudad.
   _____ los mercados.
   _____ la iglesia.

3. Visitamos a los abuelos.

_____ vecinos.

_____ pueblos.

_____ rancho.

_____ señor.

4. Vemos al profesor.

_____ escuela.

_____ puerta.

_____ Gloria.

_____ muchacho.

ESTRUCTURA B

Plural de ciertos nombres

los señores *Mr. and Mrs.*
los abuelos *grandparents*

los hijos *children*
los tíos *aunt(s) and uncle(s)*

The masculine plural form of the noun is used when masculine and feminine persons are included in the group.

PRÁCTICA

Transformación

1. El padre y la madre son buenos.
2. El niño y la niña tienen tres años.
3. El hijo y la hija respetan a los padres.
4. El hermano y la hermana van al cine.
5. Visitan al abuelo y a la abuela.
6. El tío y la tía viven en la Florida.
7. El señor García y la señora García son simpáticos.

Sí, los padres son buenos.

_____.

_____.

_____.

_____.

_____.

_____.

ESTRUCTURA C

El artículo definido delante de **señor, señora, doctor, doctora.**

El señor Sánchez trabaja en una tienda.
La señora Sánchez trabaja en casa.
La señorita Sánchez es muy bonita.
El doctor González está en el hospital.

99

The definite article is used before titles, except when addressing a person.

¿Cómo está Ud., señor Sánchez?
Buenos días, señora Sánchez.
Adiós, señorita Sánchez.
Buenas tardes, doctor González.

PRÁCTICA

Sustitución

1. El señor Sánchez trabaja mucho.
    — profesora Bustos _____.
    — doctor Pereda _____.
    — señorita Torres _____.
    — señora García _____.

2. Miguel ayuda al señor Sánchez.
    _____ profesora Bustos.
    _____ doctor Pereda.
    _____ señorita Torres.
    _____ señora García.

Traduzca

1. Mr. Pérez is in the store. _____.
2. Good morning, Mr. Pérez. _____.
3. Doctor Sandoval is in the office. _____.
4. Good afternoon, Dr. Sandoval. _____.
5. Professor Ríos is in class. _____.
6. How are you, professor Ríos? ¿_____?

Preguntas personales

1. ¿Cuántos hijos tienen sus padres?   2. ¿Quién es el hijo mayor?   3. ¿Ayuda Ud. a sus profesores?   4. ¿Prepara Ud. sus lecciones por la tarde o por la noche?   5. ¿Tienen Uds. una criada? 6. ¿Quién prepara las comidas en su casa?   7. ¿Va Ud. al cine sin permiso?   8. ¿Adónde va su familia los domingos?

NOTAS CULTURALES

¿Sabe Ud. qué lenguas hablan los habitantes de las Américas?

Al norte de los Estados Unidos está el Canadá. Los habitantes del Canadá hablan dos lenguas, el inglés y el francés. Al sur de los

Estados Unidos están los países de la América Latina. El portugués es la lengua oficial del Brasil. El español es la lengua oficial de la América Latina.

También hay en la América Latina varias lenguas indias. Millones de indios viven en pueblos pequeños lejos de las ciudades grandes.

Estudio de palabras

Spanish, French, Portuguese and Italian are derived from Latin, the language spoken by the Romans, and are therefore called romance languages. Many of the words in these languages are similar. Here are a few examples:

Latin	Spanish	Portuguese	French	Italian
amicus (*friend*)	amigo	amigo	ami	amico
bona (*good*)	bueno	bom	bon	buono
terra (*land*)	tierra	terra	terre	terra
vita (*life*)	vida	vida	vie	vita
liber (*book*)	libro	livro	livre	libro
mare (*sea*)	mar	mar	mer	mare
donare (*to give*)	dar	dar	donner	dare

Can you find an English word which is related to each of the above?

Examples:

Latin Word	Related English Word
amicus (*friend*)	amicable (friendly)
bona (*good*)	bonus

Lección 12

¡Buena suerte en el examen!

Miguel—Rosa

Miguel: ¡Hola Rosa! ¿Qué haces (are you doing) esta noche?

Rosa: Tengo que estudiar para un examen de español.

Miguel: ¿Con quién estudias?

Rosa: Estudio con Alicia; ella es muy inteligente.

Miguel: Yo siempre (always) estudio con Tomás, él es muy inteligente también y siempre recibe buenas notas (grades).

Rosa: ¿No tienen Uds. exámenes mañana?

Miguel: No, nosotros no tenemos exámenes, pero tenemos que escribir una composición.

Rosa: Yo también tengo que escribir una composición para la clase de inglés.

Miguel: ¿Qué vas a hacer mañana?

Rosa: Mañana tengo que ir de compras (to go shopping).

Miguel: Pues, buena suerte en el examen.

Rosa: Gracias, Miguel. Voy a estudiar mucho esta noche. Adiós Miguel, hasta la vista.

Miguel: Bien, Rosa, hasta luego.

103

¿Sí o No?

1. Rosa tiene que estudiar para un examen de inglés. 2. Miguel y su amigo tienen que escribir una composición. 3. Miguel estudia con Alicia porque ella es muy inteligente. 4. Tomás siempre recibe buenas notas. 5. Rosa tiene que ir de compras. 6. El alumno inteligente recibe buenas notas. 7. Miguel tiene exámenes mañana.

ESTRUCTURA A

Repaso de los pronombres

Alicia y **yo** recibimos buenas notas.
Ella y su amiga estudian el español.

Subject pronouns are used when they are part of a compound subject.

Ella estudia el francés y **él** estudia el español.
Carmen y Diego son hermanos; **él** es muy inteligente.

Subject pronouns are used for clarity and emphasis.

PRÁCTICA

Sustitución

1. Yo no tengo papel.	Nosotros no tenemos papel.
2. Ellos viven aquí.	Él vive aquí.
3. Ud. aprende mucho.	_____.
4. Ellas estudian en casa.	_____.
5. Ud. siempre prepara las lecciones.	_____.
6. Nosotros escribimos muchas cartas.	_____.
7. Él es inteligente.	_____.
8. Uds. trabajan en la tienda.	_____.

Conteste con pronombres

1. ¿Va Alicia de compras?	Sí, ella siempre va de compras.
2. ¿Ayudas tú al profesor?	Sí, yo siempre ayudo al profesor.

3. ¿Estudian mucho las muchachas? _____.
4. ¿Tiene Miguel exámenes? _____.
5. ¿Reciben Uds. buenas notas? _____.
6. ¿Trabajan Juan y Pedro por la tarde? _____.
7. ¿Lee Rosa muchos libros? _____.
8. ¿Van Ana y José al cine? _____.

ESTRUCTURA B

Tener que + el infinitivo   *to have to, must.*

Tengo		ir.
Tienes		estudiar.
Tiene		aprender.
Tenemos	**que** +	trabajar.
Tenéis		contestar.
Tienen		repetir.

To have to or *must* is expressed by **tener que** followed by the infinitive form of the verb.

PRÁCTICA

Sustitución

1. Ud. tiene que escribir una carta.

   Los alumnos _____.

   Tú _____.

2. Yo tengo que trabajar mucho.

   Mi hermano _____.

   Nosotros _____.

3. Ana tiene que ir de compras.

   Ana y su amiga _____.

   Yo _____.

4. Tú tienes que estudiar mañana.

   Uds. _____.

   Miguel y yo _____.

5. La criada tiene que ayudar a la madre.

   Las hijas _____.

   Yo _____.

Transformación

1.	Yo no estudio.	Yo tengo que estudiar.
2.	Gloria no escribe a su amiga.	Gloria tiene que escribir a su amiga.
3.	Los muchachos no contestan en español.	_____.
4.	Ud. no trabaja.	_____.
5.	Nosotros no visitamos a la abuela.	_____.
6.	Mi madre no va de compras.	_____.
7.	Tú no lees la revista.	_____.
8.	Juan no recibe buenas notas.	_____.

Preguntas personales

1. ¿Tiene Ud. que estudiar para un examen?   2. ¿Son difíciles los exámenes de español?   3. ¿Recibe Ud. buenas notas?   4. ¿Tiene Ud. que escribir una composición?   5. ¿Con quién estudia Ud.?   6. ¿Tiene Ud. que ir de compras con su madre?   7. ¿Qué hace Ud. esta noche?

Las escuelas hispanoamericanas

Enrique es un muchacho de catorce años. Él y sus amigos van a una escuela secundaria de la ciudad. El padre de Enrique es médico. Su amigo Arturo prefiere ser abogado (lawyer) y su amigo Jorge estudia para ingeniero. Los muchachos tienen que estudiar mucho porque los exámenes de las escuelas secundarias son siempre muy difíciles. Los muchachos tienen clases de geometría, biología, historia, inglés y muchas otras asignaturas (subjects). La escuela secundaria es muy moderna. Tiene una buena biblioteca, un laboratorio excelente y un gimnasio grande.

En todos los países de Hispanoamérica hay escuelas públicas y también hay muchas escuelas particulares (private). Muchos alumnos van a las escuelas particulares. Generalmente las muchachas van a una escuela y los muchachos van a otra. En algunas escuelas los alumnos usan uniformes.

Los alumnos van a la escuela seis días por semana: lunes, martes, miércoles, jueves, viernes y sábado. Por supuesto (Of course) no van a la escuela los domingos.

En muchos pueblos pequeños los niños van a la escuela sólo (only) dos o tres años. Aprenden a leer y a escribir. Hay también muchos niños hispanoamericanos que no saben (know how) leer, porque viven en el campo, lejos de una escuela. Muchos no van a la escuela porque tienen que trabajar para ayudar a su familia.

107

ESTRUCTURA A

Los días de la semana

Calendario

Febrero 197_						
Lunes	Martes	Miércoles 1	Jueves 2	Viernes 3	Sábado 4	Domingo 5

On before the days of the week is expressed by **el** or **los.** Days of the week that end in **-s** have the same form in the singular and plural noun.

el lunes, los lunes   *on Monday, on Mondays*
el viernes, los viernes   *on Friday, on Fridays*

PRÁCTICA

Sustitución

1. ¿Qué hace Ud. el lunes?
    ¿——————— miércoles?
    ¿——————— jueves?
    ¿——————— domingo?
    ¿——————— viernes?

2. Siempre estoy en casa los martes.
    ———————————— sábados.
    ———————————— jueves.
    ———————————— miércoles.
    ———————————— lunes.

Transformación

1. Hoy es martes. Mañana es miércoles.
2. Hoy es sábado. ——————————.
3. Hoy es jueves. ——————————.
4. Hoy es domingo. ——————————.
5. Hoy es viernes. ——————————.
6. Hoy es lunes. ——————————.
7. Hoy es miércoles. ——————————.

Responda

1. ¿Qué día tienes examen? (martes)   Tengo examen el martes.
2. ¿Qué día quieres estudiar? (lunes)   ——————————.
3. ¿Qué día vas a la biblioteca? (viernes)   ——————————.

4. ¿Qué día quieres ir al cine? (sábado) _____.
5. ¿Qué día vas al mercado? (jueves) _____.
6. ¿Qué día tienes que ver al médico? (miércoles) _____.

Preguntas personales

1. ¿Cuántos días hay en una semana? 2. ¿Cuántos días por semana van a la escuela los alumnos? 3. ¿Van los alumnos norteamericanos a la escuela los sábados y los domingos? 4. ¿Quiere Ud. ser abogado, médico, ingeniero, profesor (-a), secretaria? Quiero ser . . . 5. ¿Tiene Ud. que estudiar mucho? 6. ¿Hay un gimnasio grande en su escuela? 7. ¿Es pública o particular su escuela? 8. ¿Aprende Ud. a leer y a escribir?

ESTRUCTURA B

Saber + el infinitivo   *to know how*

To know how is expressed by the verb **saber** followed by the infinitive.

	Sé	leer.
Sab	es	estudiar.
Sab	e	hablar.
Sab	emos	escribir.
Sab	éis	cantar.
Sab	en	comprender.

The present tense of **saber** is regular except for the **yo** form (**sé**).

PRÁCTICA

Sustitución

1. Este muchacho no sabe estudiar.
   _____ leer.
   _____ escribir.

2. Yo sé hablar español.
   Tú _____.
   Nosotros _____.
   Ellos _____.

110

3. Ella sabe leer bien.
    Yo _____.
    Ellas _____.
    Ud. _____.

4. Tú no sabes escribir bien.
    Ud. _____.
    Vosotros _____.
    Ellas _____.

En los cines los hispanoamericanos ven muchas películas mexicanas y argentinas. Las películas de Hollywood son también muy populares.

Lección 13

Vamos al cine

Jorge—Marta

Jorge: ¿Vas al cine esta noche?

Marta: No, no voy al cine esta noche; quiero ir al centro con mi madre.

Jorge: ¿A qué hora (At what time) van Uds. al centro?

Marta: Vamos a las seis.

Jorge: ¿Quieres ir al cine mañana?
Hay una película muy buena.

Marta: Con mucho gusto. ¿A qué hora?

Jorge: A las siete.

Marta: Es muy temprano (early). En mi casa comemos a las siete.

Jorge: ¿Quieres ir a las ocho y media?

Marta: La película comienza a las ocho y cuarto.

Jorge: Pues bien, vamos a las ocho.

Marta: Está bien. A las ocho en punto.

Jorge: ¿Qué hora es?

Marta: Son las seis menos diez.

Jorge: ¡Ay! Es tarde. Tengo que ir a casa.

Marta: Adiós.

Jorge: Hasta mañana.

Preguntas personales

1. ¿Con quién va Ud. al cine?   2. ¿Va Ud. al cine el sábado?
3. ¿Está el cine lejos de su casa?   4. ¿Hay una buena película?
5. ¿Es larga la película?   6. ¿Tiene Ud. que ir a casa temprano?
7. ¿Quiere Ud. ir al centro mañana?   8. ¿Va Ud. al centro con su
madre?   9. ¿Comen Uds. tarde o temprano?   10. ¿Comen Uds.
siempre en casa?

ESTRUCTURA

La hora

¿Qué hora es?	*What time is it?*
Es la una.	
Son las dos.	
Son las tres.	

La una, las dos, etc. refer to **hora** and **horas,** and therefore are
feminine.

Es la una y cinco.
(1:05)

Son las dos y diez.
(2:10)

Son las ocho y veinte.
(8:20)

114

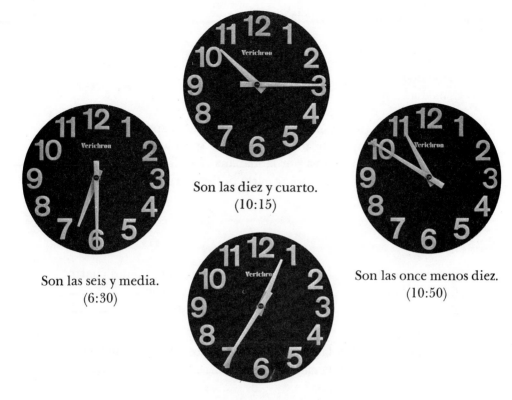

Son las diez y cuarto.
(10:15)

Son las seis y media.
(6:30)

Son las once menos diez.
(10:50)

Es la una menos veinte y cinco.
(12:35)

In Spanish the hour is given first, and the minutes are then added
(**y**) or subtracted (**menos**).

¿**A** qué hora?	*At what time?*
A las dos, (tres, etc.).	
A las ocho **de** la mañana.	*At 8:00 A.M.*
A las tres **de** la tarde.	*At 3:00 P.M.*
A las nueve **de** la noche.	*At 9:00 P.M.*

Note: **Es** la una   *It is 1:00*   **A** la una   *At 1:00*

115

Son las ocho en punto (sharp) de la mañana.

Es tarde.
Es temprano.
Es mediodía.
Es medianoche.

Note: **de** la mañana (in the morning) is used when a specific time is mentioned. Change **de** to **por** when no specific time is mentioned. Example: Ella va **por** la mañana temprano.
She is going early *in* the morning.

PRÁCTICA

Sustitución

1. Es la una y media.
   _____ y diez.
   _____ y cuarto.
   _____ y veinte.

2. Son las siete menos cuarto.
   _____ nueve _____.
   _____ tres _____.
   _____ once _____.

3. ¿A qué hora va Ud. a la escuela?
   ¿_____ a la clase?
   ¿_____ a casa?
   ¿_____ al cine?

4. Vamos a las ocho de la mañana.
   _____ siete _____.
   _____ nueve _____.
   _____ once _____.

5. Voy a casa a las nueve de la noche.
   _____ diez _____.
   _____ once _____.
   _____ once y media ___.
   _____ ocho _____.

6. Él come a las cinco de la tarde.
   _____ seis _____.
   _____ siete _____.
   _____ siete y media ___.
   _____ cinco y media ___.

Preguntas personales

1. ¿Qué hora es? 2. ¿A qué hora va Ud. a la escuela? 3. ¿A qué hora comienza la clase de español? 4. ¿A qué hora va Ud. a la cafetería? 5. ¿A qué hora va Ud. a casa? 6. ¿A qué hora come su familia? 7. ¿A qué hora estudia Ud.? 8. ¿A qué hora visita Ud. a su amigo? 9. ¿A qué hora va Ud. al cine? 10. ¿A qué hora comienza la película?

Diálogo dirigido

George asks Martha where she is going tonight.

Jorge: ¿————————————————————?

Martha says she's going downtown.

Marta: ————————————————————.

George asks if she wants to go to the movies.

Jorge: ¿————————————————————?

Martha says, "Gladly" and asks, "At what time?"

Marta: ———————————— ¿——————————?

George says, "Let's go at eight-thirty."

Jorge: ————————————————————.

Martha agrees and wants to know what time it is.

Marta: ——————————. ¿————————————?

George says, "It's ten to four."

Jorge: ————————————————————.

Martha says it's late; she has to go home.

Marta: ————————————————————.

George says, "See you at 8:15."

Jorge: ————————————————————.

Martha agrees and says good-by.

Marta: ————————————————————.

Estudio de palabras

Many adverbs ending in -*ly* in English end in **-mente** in Spanish.

general*ly*   general**mente**   natural*ly*   natural**mente**

Escriba y pronuncie en español:

1. finally   2. cordially   3. totally
4. regularly   5. personally   6. especially

Dé el inglés:

1. posiblemente   2. atentamente   3. completamente
4. rápidamente   5. directamente   6. evidentemente
7. probablemente 8. recientemente   9. correctamente

Lección 14

El cine en Hispanoamérica

Hay cines en casi (almost) todas las ciudades de Hispanoamérica. En los cines los hispanoamericanos ven (see) muchas películas de Hollywood. Por estas películas forman sus ideas de las costumbres y de la vida de los Estados Unidos. Algunas de estas ideas son verdaderas; otras son falsas.

Las películas mexicanas y las películas argentinas son también muy populares en Hispanoamérica. En casi todas estas películas hay una fiesta con música y bailes (dances). Muchas de estas películas son románticas o históricas.

Algunos estudiantes norteamericanos de las universidades y de las escuelas secundarias van a ver estas películas porque estudian el español y tienen gran interés en la vida y las costumbres de los mexicanos.

¿Sí o No?

1. Hay cines en casi todas las ciudades de Hispanoamérica.
2. Los hispanoamericanos van a ver las películas de Hollywood.
3. Hay música y bailes en muchas películas mexicanas.
4. Los estudiantes de español generalmente tienen gran interés en la vida mexicana.

ESTRUCTURA A

A después de ciertos verbos

> Voy **a** estudiar.
> Juan va **a** trabajar.
> Aprendo **a** leer.
> Aprenden **a** hablar español.

The verbs **ir** (*to go*) and **aprender** (*to learn*) require an **a** when followed by another verb in the infinitive form. This **a** is not translated into English.

PRÁCTICA

Sustitución

1. Carmen va a estudiar.
   _____ ayudar a Luisa.
   _____ preparar la comida.

2. Felipe aprende a hablar español.
   _____ contestar en español.
   _____ leer en español.

3. Uds. van a comer temprano.
   _____ ver una película.
   _____ celebrar la fiesta.

4. Aprendo a cantar canciones.
   _____ escribir el español.
   _____ contestar bien.

Transformación

1. Elena estudia el francés.   Elena va a estudiar el francés.
   Yo leo un libro interesante.   _____.
   Uds. trabajan en el jardín.   _____.
   Nosotros ayudamos al profesor. _____.

2. Carlos habla español.   Carlos aprende a hablar español.
   Yo trabajo en la biblioteca.   _____.
   Los niños leen las palabras.   _____.
   Tú escribes una composición.   _____.

Un día de fiesta

ESTRUCTURA B

Presente de **ver**   *to see*

Ve	o	a Juan.
V	es	a Juan.
V	e	a Juan.
V	emos	a Juan.
V	eis	a Juan.
V	en	a Juan.

The present tense of the verb **ver** is formed like that of the regular **-er** verbs except the **yo** form (**veo**).

PRÁCTICA

Sustitución

1. Veo a Juan casi todos los días.
   —— a mi amigo ——————.
   —— a mis primos ————.

2. ¿Qué ves en la mesa?
   ¿———— en la calle?
   ¿———— en el parque?

3. Ud. no ve su libro aquí.
   ———————— su pluma ——.
   ———————— su papel ——.

4. Vemos pueblos pequeños.
   ———— ciudades grandes.
   ———— costumbres interesantes.

5. Los estudiantes ven películas mexicanas.
   ———————————————————— históricas.
   ———————————————————— populares.

Sustitución

1. Mi amigo ve películas españolas.
2. Uds. ———————————————.
3. Yo ———————————————.
4. Nosotros ——————————.
5. Rosa ve la influencia española.
6. Tú ———————————————.
7. Carmen y Ud. ————————.
8. Lupe y yo ———————————.

Responda

1. ¿Qué ve Ud. en la pared? (un mapa)   Veo un mapa.
2. ¿Qué ven Uds. en la calle? (muchos automóviles)   ——————.

3. ¿Qué ven los estudiantes? (bailes interesantes)   —————————.
4. ¿Qué ves por la ventana? (un pájaro)   —————————.
5. ¿Qué ve el turista por la carretera? (pueblos pequeños)   —————————.
6. ¿Qué ve Ud. en la mesa? (dos revistas)   —————————.
7. ¿Qué ves en la cocina? (una estufa)   —————————.
8. ¿Qué ven Uds. en el jardín? (flores bonitas)   —————————.

Lección 15

La casa nueva

Dolores—Carmen

Dolores:	¿Dónde viven Uds. ahora, Carmen?
Carmen:	Vivimos en una casa nueva en la calle Serrano.
Dolores:	¿Es una casa grande?
Carmen:	No, no es grande.
Dolores:	¿Cuántos cuartos tiene la casa?
Carmen:	Tiene seis cuartos: la sala, el comedor, dos alcobas, la cocina y el cuarto de baño.
Dolores:	¿Es grande la sala?
Carmen:	Sí, es muy grande pero el comedor es pequeño.
Dolores:	¿Cómo son las alcobas (What are the bedrooms like)?
Carmen:	La alcoba de mis padres es grande; mi alcoba es pequeña.
Dolores:	¿Es moderna la cocina?
Carmen:	Sí, la cocina es muy moderna.
Dolores:	¿Tienen Uds. jardín?
Carmen:	¡Cómo no! Hay un jardín bonito con flores y plantas y varios árboles (trees).
Dolores:	¡Qué bueno!

125

La Casa Nueva

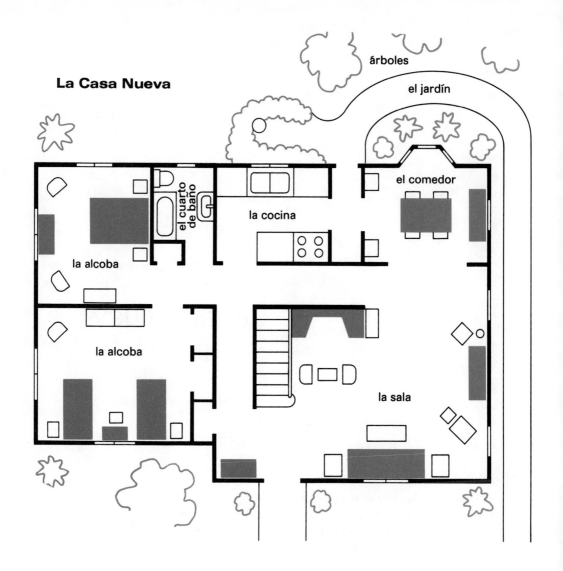

Preguntas personales

1. ¿Vive Ud. en una casa nueva?   2. ¿De qué color es la casa?
3. ¿Cuántos cuartos tiene su casa?   4. ¿Cuántas alcobas hay en la casa?   5. ¿Comen Uds. en el comedor o en la cocina?   6. ¿Es moderna la cocina?   7. ¿Cuántos cuartos de baño hay en la casa?
8. ¿Tiene la casa jardín?   9. ¿Está el jardín detrás de la casa?
10. ¿Hay árboles enfrente de la casa?

ESTRUCTURA

Números 20—100

20	veinte	50	cincuenta
21	veinte y uno (veintiuno)	60	sesenta
22	veinte y dos (veintidós)	70	setenta
23	veinte y tres (veintitrés)	80	ochenta
30	treinta	90	noventa
31	treinta y uno, etc.	100	ciento (cien)
40	cuarenta		

Numbers 21 through 29 are often written as one word: **veintiuno, veintidós, veintitrés, veinticuatro, veinticinco, veintiséis, veintisiete, veintiocho, veintinueve.**

veinte y un muchachos	*21 boys*
ochenta y una muchachas	*81 girls*

Numbers such as **veinte y uno, treinta y uno,** etc. change the **uno** to **un** before a masculine noun and to **una** before a feminine noun.

cien libros	*100 books*
cien casas	*100 homes*

pero

ciento veinte libros   *120 books*

Ciento becomes **cien** when used immediately before a noun.

PRÁCTICA

Complete

1. Veinte y diez son treinta.
2. Treinta y diez son _____.
3. Cuarenta y diez son _____.
4. Cincuenta y diez son _____.
5. Sesenta y diez son _____.
6. Setenta y diez son _____.
7. Ochenta y diez son _____.
8. Noventa y diez son _____.
9. Ciento y diez son _____.

1. Escriba los siguientes números:

ochenta y dos _____	cuarenta y tres _____
cincuenta y cuatro _____	setenta y seis _____
treinta y nueve _____	veinte y ocho _____
sesenta y cinco _____	ciento treinta y siete _____
noventa y uno _____	cien dólares _____

2. Escriba:

37 _____	12 _____
59 _____	21 _____
88 _____	48 _____
92 _____	75 _____
100 _____	57 _____
46 _____	99 _____
26 _____	15 _____
61 _____	36 _____
119 _____	64 _____
73 _____	17 _____
122 _____	84 _____

Preguntas personales

1. ¿Cuántos profesores hay en su escuela? 2. ¿Cuántos alumnos hay en la clase de español? 3. ¿Cuántos asientos hay en la clase? 4. ¿Cuántos años tiene su madre? ¿su padre? 5. ¿Cuántos años tiene su abuelo? ¿su abuela? 6. ¿Cuánto dinero tiene Ud. en el banco? 7. ¿Cuántos centavos hay en un dólar? 8. ¿Cuántos estados hay en los Estados Unidos?

Estudio de palabras

Some English words which end in -*ant* or -*ent* add an **-e** in the Spanish form of the word.

128 presidente, elegante

PRÁCTICA

Traduzca:

1. important
2. continent
3. accident
4. evident
5. instant
6. ignorant
7. client
8. decent
9. abundant

Many English words which end in -y end in **-ia** in the Spanish form of the word.

familia, colonia

PRÁCTICA

Traduzca:

1. ceremony
2. history
3. memory
4. victory
5. glory
6. comedy
7. tragedy
8. democracy
9. industry

Los muebles

Dolores—Carmen

Dolores: ¡Hola, Carmen! ¿Qué tal?

Carmen: ¡Qué sorpresa, Dolores!

Dolores: Quiero ver tu casa nueva.

Carmen: Entra, entra, Dolores. Aquí está la sala.

Dolores: Es un cuarto muy bonito. Todos los muebles son nuevos, ¿verdad?

Carmen: No, no todos. Ese (that) sofá y estos sillones (these arm-chairs) son nuevos.

Dolores: Esa lámpara es bonita.

Carmen: La lámpara es un regalo (gift) de mi tía.

Dolores: ¿Es nueva esta alfombra?

Carmen: No, la alfombra no es nueva. Todavía no tenemos cortinas. Mi madre va a comprar (to buy) cortinas azules para este cuarto.

Dolores: ¿Y tu alcoba dónde está?

Carmen: Por aquí.

Dolores: ¡Qué precioso tocador, y qué espejo tan grande!

Carmen: Son nuevos. Y esta cama es muy cómoda.

Dolores: ¡Ya lo creo! (I should think so!) ¿Dónde está tu mamá, Carmen?

Carmen: Está en el centro. Va a comprar una estufa y un refrigerador para la cocina.

Dolores: Pues, ahora tengo que irme a casa. Recuerdos (Regards) a la familia.

Carmen: Gracias, Dolores. Hasta luego.

En la casa de Carmen hay una cocina muy moderna.

¿Sí o No?

1. La familia de Carmen vive en una casa nueva. 2. Dolores quiere ver la casa. 3. Todos los muebles son nuevos. 4. El sofá es un regalo de la tía. 5. Las cortinas son bonitas. 6. Carmen tiene una cama cómoda. 7. El tocador es precioso. 8. Todavía no hay espejo. 9. La madre va a comprar una estufa. 10. Dolores tiene que ir al centro.

Composición original   Mi casa

1. Describa los cuartos y los muebles de su casa.
2. Haga un plano (floor plan) de cada cuarto y escriba el nombre de cada cuarto.

Preguntas personales

1. ¿En qué cuarto estudia Ud.?   2. ¿Hay un espejo en su alcoba?
3. ¿Cuántas camas hay en su alcoba?   4. ¿En qué cuarto recibe Ud.
a sus amigos?   5. ¿Tiene su familia un radio?   ¿un aparato de televisión?   6. ¿Hay un sillón cómodo en la sala?   7. ¿Es grande el sofá?
8. ¿De qué color es la alfombra?   9. ¿Cuántas lámparas hay en la
sala?   10. ¿Tienen Uds. una estufa de gas o una estufa eléctrica?
11. ¿Es moderna su cocina?   12. ¿Tiene Ud. un refrigerador en la
cocina?   13. ¿De qué color son las cortinas de la cocina?

ESTRUCTURA

Adjetivos demostrativos

	Singular (*this*)	Plural (*these*)
masculino	este	estos
femenino	esta	estas

	Modelos:	
	este libro	estos libros
	esta ventana	estas ventanas

	Singular (*that*)	Plural (*those*)
masculino	ese	esos
femenino	esa	esas

	Modelos:	
	ese libro	esos libros
	esa ventana	esas ventanas

PRÁCTICA

Sustitución

1. Este sillón es nuevo, ¿verdad?
   ____ tocador ____ ¿____?
   ____ espejo ____ ¿____?
   ____ escritorio ____ ¿____?

2. Estas sillas son pequeñas.
   ____ mesas ____.
   ____ ventanas ____.
   ____ alfombras ____.

3. Estos regalos son bonitos.
   ____ muebles ____.
   ____ cuadros ____.
   ____ árboles ____.

4. Este sofá es cómodo.
   ____ asientos ____.
   ____ cama ____.
   ____ sillas ____.
   ____ sillón ____.

5. Voy a comprar esa lámpara.
   _____ alfombra.
   _____ estufa.
   _____ cama.

6. Esa casa es de Carmen.
   ____ sillón ____.
   ____ tocador ____.
   ____ alfombra ____.

7. Va a comprar esos sillones.
   _____ cortinas.
   _____ sillas.
   _____ muebles.

8. Esas señoritas son de México.
   ____ muchacho ____.
   ____ alumnos ____.
   ____ familia ____.

NOTAS CULTURALES

Las casas de Hispanoamérica

En las ciudades grandes de Hispanoamérica vemos casas de diferentes estilos como en nuestro país. Algunas familias viven en casas de apartamentos; otras viven en casas particulares. Vemos casas nuevas de arquitectura moderna y vemos muchas casas de arquitectura española.

Las casas de arquitectura española son siempre interesantes para el turista. Estas casas son de uno o dos pisos. Tienen techos (roofs) de tejas rojas, balcones y rejas en las ventanas. En la entrada de la casa hay una puerta grande. En el centro de la casa hay siempre un bonito patio con plantas, flores y una fuente.

134

En el sudoeste de los Estados Unidos vemos la influencia de esta arquitectura española. En California, Arizona, Nuevo México y Texas hay muchas casas con techos de tejas rojas y patios bonitos. En estos estados todavía encontramos casas y misiones construidas por (by) los españoles durante los tiempos coloniales.

¿Sí o No?

1. Algunas familias viven en casas de apartamentos.   2. Vemos casas de arquitectura española.   3. Todas las casas españolas tienen dos pisos.   4. El patio es un lugar agradable.   5. Todas las casas tienen un balcón.   6. Vemos la influencia de la arquitectura española en el este de los Estados Unidos.

Preguntas personales basadas en la narración

1. ¿Vive Ud. en una casa de apartamentos o en una casa particular?   2. ¿Es su casa de arquitectura moderna?   3. ¿Cuántos pisos tiene su casa?   4. ¿Tiene su casa un balcón?   5. ¿De qué color es el techo?   6. ¿Tiene su casa un patio?   7. ¿Hay casas de arquitectura española en su ciudad?   8. ¿Qué hay en el patio de una casa española?

En las ciudades de Hispanoamérica vemos casas de diferentes estilos.

Repaso 3

I. *Complete las frases:*

Modelo: Tú trabajas en una tienda y estos muchachos _____.
> Tú trabajas en una tienda y estos muchachos **trabajan** en una tienda.

1. Dolores va a comprar un libro y yo _____.
2. Tenemos que comprar un regalo y Uds. _____.
3. Roberto va al cine mañana y yo _____.
4. Mi amigo quiere ver la película nueva y yo _____.
5. Tú comes en la cafetería y las muchachas _____.
6. Uds. van a la iglesia los domingos y nosotros _____.
7. Los alumnos no ven el mapa y yo _____.
8. Juan tiene que estudiar y nosotros _____.
9. Luisa recibe buenas notas y nosotros _____.
10. Yo tengo que ir y mi hermano _____.

137

II. *Conteste las preguntas con frases completas:*

1. ¿Cuántos años tiene Ud.?
2. ¿Vive Ud. en una casa de apartamentos?
3. ¿Tiene Ud. que estudiar mucho?
4. ¿Estudia Ud. por la tarde o por la noche?
5. ¿Son difíciles los exámenes?
6. ¿Ve Ud. a sus amigos durante el día?
7. ¿Ayuda Ud. a sus padres los sábados?
8. ¿Pasa Ud. mucho tiempo en casa?
9. ¿Qué va Ud. a hacer esta noche?
10. ¿Va Ud. a la iglesia todos los domingos?

III. *Complete cada frase:*

Modelos: Quiero _____.   Quiero **hablar español.**

1. Voy a _____.
2. Tengo que _____.
3. Prefiero _____.
4. Aprendo a _____.
5. Deseo _____.

IV. *Frases locas*

Ordene las frases:

1. Quiere ver amigo la mi nueva película.
2. Madre ayudan a todas su hijas las.
3. ¿Iglesia domingos la van a Uds. los?
4. Verdad creo es yo que.
5. Mapa ven alumnos los no el.

V. *Conteste las preguntas en español:*

1. ¿Qué hora es?
2. ¿A qué hora come Ud.?
3. ¿Tiene Ud. una familia grande?
4. ¿Cuántos pisos tiene su casa?
5. ¿Son nuevos los muebles de su casa?

6. ¿En qué cuarto estudia Ud.?
7. ¿Come su familia en la cocina?
8. ¿Qué día va su madre de compras?
9. ¿Tiene Ud. que ayudar a su madre?
10. ¿Cómo pasa Ud. su tiempo?

VI. *Repaso de los números 20 a 100.*

Escriba:

1. 21 _____ muchachos.
2. 30 _____ días.
3. 41 _____ alumnas.
4. 55 _____ palabras.
5. 67 _____ años.
6. 72 _____ iglesias.
7. 89 _____ casas.
8. 91 _____ muchachos.
9. 100 _____ horas.

VII. *Complete con **este, esta, estos, estas:***

1. _____ asientos son grandes.
2. _____ periódico es interesante.
3. _____ alumnas son de California.
4. Voy a comprar _____ flores.
5. Tengo que comprar _____ revista.

VIII. *Composición dirigida   Mi casa*

Escriba una composición de 5 líneas incluyendo los tópicos siguientes:

1. ¿Dónde vive su familia?
2. ¿Cuántas alcobas hay en su casa?
3. ¿Hay una cocina, una sala y un comedor en su casa?
4. Describa su alcoba.
5. ¿Es cómoda su casa?

*La muchacha tiene
los ojos azules.*

*Los muchachos tienen
los ojos cafés.*

Lección 16

¿Son Uds. norteamericanos?

Pablo—Jorge

Pablo: ¿Cómo se llama Ud.?

Jorge: Me llamo Jorge Peters.

Pablo: ¿Cuántos años tiene Ud.?

Jorge: Tengo diez y seis años.

Pablo: ¿Vive Ud. con su familia?

Jorge: Sí, vivo con mi familia.

Pablo: ¿Son Uds. norteamericanos?

Jorge: Sí, somos norteamericanos; somos de Los Angeles, California.

Pablo: ¿Cuál es su dirección?

Jorge: Mi dirección es calle Figueroa número ciento setenta y nueve.

Pablo: ¿Cuál es el número de su teléfono?

Jorge: El número de mi teléfono es Arizona, tres, cero, cinco, siete.

Pablo: ¿Tiene Ud. hermanos (brothers and sisters)?

Jorge: Tengo dos hermanos y una hermana.

Pablo: ¿Es Ud. el hermano menor?

Jorge: No, soy el hermano mayor.

Pablo: ¿Cuántos años tiene su hermana?

Jorge: Tiene catorce años.

Pablo: ¿Es también rubia (blonde) su hermana?

Jorge: No, mi hermana es morena (brunette, dark-complexioned); tiene el pelo (hair) negro y los ojos (eyes) cafés.

Pablo: ¿Asisten Uds. a la misma escuela?

Jorge: Sí, asistimos a la escuela secundaria.

141

¿Sí o No?

1. Yo tengo catorce años; mi hermano Ricardo tiene doce años; mi hermano José tiene once años; yo soy el menor. 2. Yo soy de Nevada; Luis es de Colorado; somos norteamericanos. 3. Tengo los ojos cafés y el pelo negro; soy rubio. 4. Tomás asiste a una escuela elemental; Enrique asiste a una escuela secundaria; Tomás y Enrique no asisten a la misma escuela. 5. Mi amigo vive en la calle Madero; yo vivo en la calle Tampa; mi amigo y yo tenemos la misma dirección.

ESTRUCTURA A

Presente de **ser**   *to be*

Soy norteamericano, (-a).	**Somos** norteamericanos, (-as).
Eres norteamericano, (-a).	**Sois** norteamericanos, (-as).
Es norteamericano, (-a).	**Son** norteamericanos, (-as).

PRÁCTICA

Sustitución

1. Soy alto.
   ___ moreno.
   ___ aplicado.
   ___ bajo.

2. Somos de California.
   _____ de San Diego.
   _____ del oeste.
   _____ de Chile.

3. Tú eres bonita.
   _____ rubia.
   _____ buena.
   _____ simpática.

4. Ud. es el hermano menor.
   _____ el primo de José.
   _____ el amigo de Miguel.
   _____ el tío de Carlos.

5. Concha y Pepe son hermanos.
   _____ morenos.
   _____ simpáticos.
   _____ inteligentes.

Sustitución

1. Mi familia es de Costa Rica.
   Ud. _____.
   Mis primos _____.
   Yo _____.

2. El señor es de Panamá.
   Tú _____.
   Tus padres y tú _____.
   Mi abuela _____.

142

Conteste

1. ¿Eres tú aplicado?   No, no soy aplicado.
2. ¿Son Uds. ricos?   _____.
3. ¿Es Ud. de Nueva York?   _____.
4. ¿Es su padre médico?   _____.
5. ¿Son Uds. norteamericanos?   _____.
6. ¿Eres tú la menor de la familia?   _____.
7. ¿Son primos Ud. y Luis?   _____.
8. ¿Son Pedro y Ana los hijos mayores?   _____.

ESTRUCTURA B

Comparación de los adjetivos

Enrique es **más alto.**	Henry is *taller.*
María es **la más bonita.**	Mary is *the prettiest.*
Esta lección es **más difícil.**	This lesson is *more difficult.*

In Spanish, **más** is used before the adjective when making a comparison. In English, the adjective used for the comparison frequently ends in -*er* or -*est: richer,* **más rico,** *richest,* **el más rico.**

PRÁCTICA

Complete

1. Este libro es interesante.   Tu libro es más interesante.
2. Su casa es grande.   Mi casa es más grande.
3. Tu hijo es inteligente.   Mi hijo es _____.
4. Este coche es pequeño.   Tu coche es _____.
5. Mi hermano es alto.   Su hermano es _____.
6. Su hermana es bonita.   Mi hermana es _____.

Comparación irregular de algunos adjetivos

bueno	*good*	mejor	*better, best*
malo	*bad*	peor	*worse, worst*
		menor	*younger, youngest*
		mayor	*older, oldest (age)*

143

PRÁCTICA

Complete

1.	Mis libros son buenos.	Tus libros son mejores.
2.	Nuestra escuela es buena.	Su escuela _____.
3.	Tu revista es mala.	Mi revista _____.
4.	Mis lápices son malos.	Tus lápices _____.
5.	Su coche es bueno.	Mi coche _____.

ESTRUCTURA C

Como expresar *than* en una comparación

Carmen es **más bonita que** María.
Pancho es **menor que** su hermano.

Que is used to express *than* in a comparison.

PRÁCTICA

Traduzca

1. Carlos is taller than his friend.
2. Juan is older than his friend.
3. Arturo is larger than his friend.
4. Gloria is younger than her friend.
5. Lucía is prettier than her friend.
6. Elena is more interesting than her friend.

ESTRUCTURA D

Como expresar *in* después de la forma superlativa

Es el muchacho **más alto de** la clase.
Es **la mejor** carretera **del** mundo.

144

De is used to express *in* after the superlative form.

PRÁCTICA

Traduzca

1. It is the largest in the world.
2. It is the largest in the country.
3. It is the largest in the state.
4. It is the largest in the city.
5. It is the largest in the school.
6. It is the largest in the class.

Preguntas personales

1. ¿Quién es su mejor amigo (-a)?   2. ¿Es Ud. más alto (-a) que su amigo (-a)?   3. ¿Es Ud. el (la) menor de su familia? ¿Es Ud. el (la) mayor?   4. ¿Quién es el alumno más inteligente de la clase? 5. ¿Son los muchachos más aplicados que las muchachas?   6. ¿Cuál es su deporte favorito?   7. ¿Es su ciudad la más grande del estado? 8. ¿Es su ciudad más bonita que las otras ciudades del estado?

Lección 17

Mi ciudad

Alfredo—Bárbara

Alfredo: ¿Vive Ud. en una ciudad grande?

Bárbara: Sí, mi ciudad es grande e (and) importante; es la capital del estado.

Alfredo: ¿Es una ciudad hermosa?

Bárbara: ¡Ya lo creo! Tiene una plaza hermosa, anchas (wide) avenidas y muchos edificios modernos.

Alfredo: ¿Hay buenos hoteles en la ciudad?

Bárbara: Sí, hay buenos hoteles y también restaurantes excelentes.

Alfredo: ¿Tiene la ciudad tiendas grandes?

Bárbara: Sí, hay varias tiendas grandes en la ciudad.

Alfredo: ¿Visitan la ciudad muchos turistas?

Bárbara: Sí, todos los días muchos turistas visitan la ciudad porque quieren ver los monumentos históricos.

Alfredo: ¿Hay mucho tráfico en las calles?

Bárbara: ¡Por supuesto! Siempre hay muchos automóviles, tranvías (streetcars), y autobuses en las calles.

ESTRUCTURA A

Presente de **querer**   *to want*

Qu | ie | ro aprender mucho.
Qu | ie | res aprender mucho.
Qu | ie | re aprender mucho.
Queremos aprender mucho.
Queréis aprender mucho.
Qu | ie | ren aprender mucho.

147

PRÁCTICA

Sustitución

1. Quiero vivir en esta ciudad.   Queremos vivir en esta ciudad.

    Quiero asistir a esta escuela.   _____.

    Quiero ir al centro en tranvía.   _____.

    Quiero comer en un restaurante.   _____.

    Quiero estudiar en la biblioteca.   _____.

    Quiero ver el edificio nuevo.   _____.

2. Mi amigo quiere trabajar en una   Mis amigos quieren trabajar en
    tienda.   una tienda.

    Ud. quiere ganar mucho dinero.   _____.

    El turista quiere visitar los monu-
    mentos.   _____.

    Mi hermana quiere ir de com-
    pras.   _____.

    El gobierno quiere ayudar a los
    pobres.   _____.

Composición original   Mi cuidad
Describa su ciudad en 5 frases.   Describa las calles y los edificios.

ESTRUCTURA B

Presente de **poder**   *to be able, can*

P | ue | do   aprender mucho.
P | ue | des aprender mucho.
P | ue | de   aprender mucho.
Podemos   aprender mucho.
Podéis   aprender mucho.
P | ue | den aprender mucho.

148

PRÁCTICA

Sustitución

1. Yo no puedo ir al cine.
   _____ al teatro.
   _____ al baile.
   _____ a la fiesta.

2. Tú no puedes usar tu pluma.
   _____ escribir tu lección.
   _____ ver la pizarra.
   _____ hablar con Tomás.

3. Podemos ver iglesias antiguas.
   _____ edificios altos.
   _____ mucho tráfico.
   _____ parques bonitos.

4. ¿Puede Ud. ir temprano?
   ¿_____ abrir las ventanas?
   ¿_____ ayudar al profesor?
   ¿_____ pasar los papeles?

5. Los habitantes pueden ir en avión.
   _____ ir en coche.
   _____ ir a caballo.
   _____ ir en autobús.

Sustitución

1. El señor puede ir a México en avión.
   La familia _____.
   Tú _____.
   Nosotros _____.
   Uds. _____.

2. El señor puede ir a España en avión.
   Yo _____.
   El turista _____.
   Mis padres _____.
   Tú y yo _____.

Conteste

1. ¿Puede Ud. ir temprano?
2. ¿Pueden Uds. ver la pizarra?
3. ¿Pueden los muchachos leer el libro?
4. ¿Puedo yo ir a la oficina?
5. ¿Pueden Uds. trabajar aquí?
6. ¿Puede Alicia ir al baile?

No, no puedo ir temprano.
_____.
_____.
_____.
_____.
_____.

La primavera

Lección 18

Las estaciones del año

Alfredo—Bárbara

Alfredo: ¿Hace buen tiempo en su ciudad?

Bárbara: El tiempo depende de la estación. En el verano hace mucho calor (it is very warm); y naturalmente en el invierno hace frío.

Alfredo: Nosotros queremos visitar su ciudad. ¿Cuál es la mejor estación?

Bárbara: La primavera, cuando hace fresco. Es la estación más agradable del año.

Alfredo: ¿Hace mal tiempo en el otoño?

Bárbara: Sí, en el otoño hace viento (it is windy) y llueve (it rains) mucho.

Alfredo: ¿Nieva (Does it snow) en el invierno?

Bárbara: Algunas veces nieva en el invierno, y entonces la ciudad está muy bella.

151

ESTRUCTURA A

El tiempo y las estaciones del año

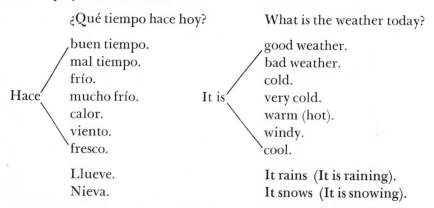

¿Qué tiempo hace hoy?	What is the weather today?

Hace — buen tiempo. / mal tiempo. / frío. / mucho frío. / calor. / viento. / fresco.

It is — good weather. / bad weather. / cold. / very cold. / warm (hot). / windy. / cool.

Llueve. — It rains (It is raining).
Nieva. — It snows (It is snowing).

Hace is used to express *it is* with weather expressions.
Mucho, not **muy,** is used to express *very* with weather expressions.

La primavera es una estación hermosa.
En **el** verano hace calor.
Hace viento en **el** otoño.
El invierno es mi estación favorita.

In Spanish the definite article **el, la** is used before names of seasons even though it may be omitted in English.

PRÁCTICA

Sustitución

1. Hace buen tiempo hoy.
   _____ esta mañana.
   _____ en la prima-
   vera.

2. Hace mucho calor en el verano.
   _____ al mediodía.
   _____ en el sur.

3. Hace fresco esta noche.
   _____ hoy.
   _____ en el otoño.

4. Hace mal tiempo hoy.
   _____ en el campo.
   _____ en la ciudad.

152

5. Hace frío en el invierno.

_____ en el norte.

_____ en las montañas.

6. Llueve mucho hoy.

_____ en la primavera.

_____ en el otoño.

Preguntas personales

1. ¿Qué tiempo hace hoy? 2. ¿En qué estación hace buen tiempo? 3. ¿En qué estación hace mucho calor? 4. ¿En que estación nieva mucho? 5. ¿Llueve mucho en su ciudad?

El verano

El otoño

ESTRUCTURA B

Algunas expresiones con **tener**

¿Tiene Ud. frío?	*Are you cold?*
No tengo calor.	*I am not warm.*

In Spanish, **tener** (*to have*) is used when one speaks of being cold, or warm (note that when speaking of cold or warm weather, the expression is **hace frío, calor**).

¿Tiene Ud. mucho frío?	*Are you very cold?*
Tengo mucho calor (frío).	*I am very warm (cold).*

Mucho (-a), not **muy**, is used to express *very* in these expressions.

PRÁCTICA

Sustitución

1. Tenemos mucho calor.
    Todos _____.
    Yo _____.
    Ud. _____.

2. Tú tienes frío.
    Los niños _____.
    Ud. _____.
    Nosotros _____.

El invierno

155

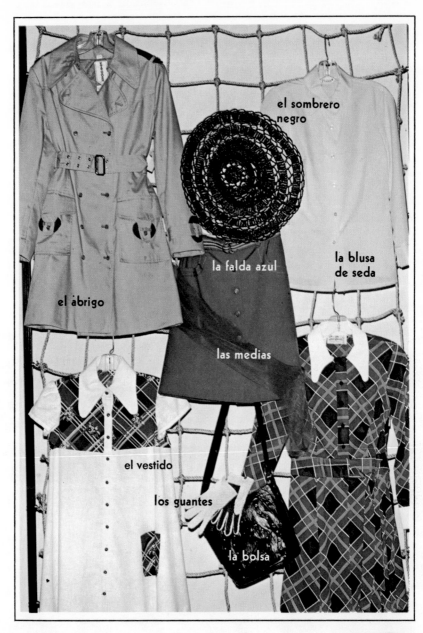

el sombrero
negro

el ábrigo

la falda azul

la blusa
de seda

las medias

el vestido

los guantes

la bolsa

Lección 19

¿Qué vestido llevas al baile?

Alicia—Dolores

Alicia: ¿Vas al baile el sábado, Dolores?
Dolores: Sí, voy con Enrique.
Alicia: ¿Qué vestido vas a llevar al baile?
Dolores: Mi vestido nuevo y mi abrigo rojo.
Alicia: Yo necesito una bolsa nueva.
Dolores: Yo tengo una bolsa bonita. ¿Quieres usar mi bolsa?
Alicia: Gracias, eres muy amable.
Dolores: Y tú, ¿qué vestido vas a llevar al baile?
Alicia: Voy a llevar una blusa de seda (silk) y una falda azul.
Dolores: Esta tarde voy al centro. Tengo que comprar unas medias.
Alicia: Yo también tengo que ir al centro con mi madre. Necesita comprar un par de guantes y un sombrero negro.
Dolores: Pues bien, vamos a la tienda París.

¿Sí o No?

1. Todas las muchachas son amables. 2. Todas las muchachas llevan abrigo cuando hace calor. 3. Todas las muchachas llevan bolsa a la escuela. 4. Algunas muchachas no usan medias. 5. Todas las muchachas tienen un par de guantes. 6. Algunas muchachas llevan blusa y falda a la escuela. 7. Las muchachas siempre llevan vestido de seda a los bailes. 8. Las muchachas siempre necesitan ir de compras.

157

ESTRUCTURA A

Presente de **llevar**   *to wear, use*

Llev	o	sombrero.
Llev	as	una blusa.
Llev	a	unas medias.
Llev	amos	sombrero.
Llev	áis	un par de guantes.
Llev	an	abrigo.

ESTRUCTURA B

Presente de **hacer**   *to make, do*

Hag	o	mi ropa.
Hac	es	tu ropa.
Hac	e	su ropa.
Hac	emos	nuestra ropa.
Hac	éis	vuestra ropa.
Hac	en	su ropa.

PRÁCTICA

Sustitución: hacer

1. Yo hago mi ropa ahora.

   _____ mis faldas ____.

   _____ el trabajo ____.

   _____ mis vestidos __.

2. ¿Por qué no haces tu vestido?

   ¿_____ tu bolsa?

   ¿_____ el trabajo?

   ¿_____ los ejercicios?

3. Pablo y yo hacemos la tarea.

   _____ los ejercicios.

   _____ el trabajo.

   _____ los muebles.

4. Ellas hacen la ropa.

   _____ el vestido.

   _____ el trabajo.

   _____ los vestidos.

158

Sustitución: llevar

1. Yo llevo sombrero.

   Ella _____.

   Tú _____.

   Ud. _____.

2. ¿Llevas tú una blusa nueva?

   ¿_____ ella _____?

   ¿_____ Uds. _____?

   ¿_____ ellas _____?

3. Enrique lleva un par de guantes.

   Pablo _____.

   Miguel y yo _____.

   Tú y yo _____.

Preguntas personales

1. ¿Lleva Ud. un sombrero negro? 2. ¿Compras (tú) unas medias en el centro? 3. ¿Lleva Ud. abrigo en el invierno? 4. ¿Tiene Ud. un vestido nuevo en casa? 5. ¿Va Ud. a un baile todos los sábados? 6. ¿Tiene Ud. que ir al centro esta noche? 7. ¿Necesita Ud. una bolsa nueva? 8. ¿Adónde va Ud. cuando necesita comprar unas medias?

En una tienda de ropa

Dependiente—Pablo

Dependiente:	Buenas tardes, señor.
Pablo:	Buenas tardes.
Dependiente:	¿En qué puedo servirle?
Pablo:	Deseo comprar un traje.
Dependiente:	Con mucho gusto, señor. Tenemos muy buenos trajes. ¿Le gusta (Do you like) este traje azul?
Pablo:	Sí, me gusta mucho. ¿Cuánto vale el traje?
Dependiente:	Noventa dólares.
Pablo:	Es muy caro. Prefiero un traje más barato (cheaper).
Dependiente:	¿Le gusta este traje gris? Vale cincuenta dólares.
Pablo:	Sí, ese traje me gusta mucho.
Dependiente:	¿Qué más necesita Ud.?
Pablo:	Necesito también una corbata y dos camisas blancas.
Dependiente:	Aquí tiene Ud. una bonita corbata roja. ¿Le gusta?
Pablo:	Sí, esa corbata me gusta mucho.
Dependiente:	Estas camisas blancas son muy buenas y no son caras (expensive).
Pablo:	Sí, me gustan.
Dependiente:	¿Desea Ud. algo más?
Pablo:	Necesito un par de zapatos.
Dependiente:	Lo siento mucho (I am very sorry), no vendemos zapatos. ¿No necesita calcetines?
Pablo:	No, gracias. Es todo.
Dependiente:	Está bien, señor.

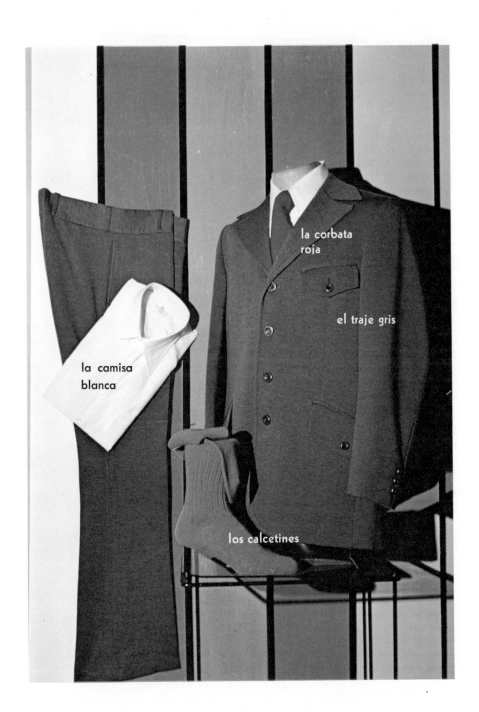

la corbata
roja

el traje gris

la camisa
blanca

los calcetines

161

ESTRUCTURA

Presente de **gustar**   *to like, to please*

	singular			*plural*	
me gusta	nos gusta		me gustan	nos gustan
te gusta	os gusta		te gustan	os gustan
le gusta	les gusta		le gustan	les gustan

Singular de **gustar**

Me gusta el sombrero.   *I like the hat. (The hat is pleasing to me.)*
Le gusta la corbata.
Nos gusta estudiar.

Gusta is used when the thing liked is a singular noun or an infinitive.

Plural de **gustar**

Me gustan los sombreros.   *I like the hats. (The hats are pleasing to me.)*

Gustan is used when the thing liked is plural.

Negativo de **gustar**

No me gusta el sombrero.   No me gustan los sombreros.

No is placed before the pronouns **me, te, le,** etc.

Interrogativo de **gustar**

¿Le gustan las corbatas?

PRÁCTICA

Sustitución

1. Me gusta la corbata.
    _____ el traje.
    _____ la blusa.
    _____ el vestido.

2. Me gustan los sombreros grandes.
    _____ las camisas blancas.
    _____ las faldas anchas.
    _____ las muchachas.

3. ¿Le gusta mi vestido nuevo?
   ¿_____ mi corbata roja?
   ¿_____ mi bolsa azul?
   ¿_____ mi abrigo nuevo?

4. ¿Le gustan estos zapatos?
   ¿_____ estas medias?
   ¿_____ mis guantes?
   ¿_____ estas flores?

5. No me gusta ir de compras.
   _____ llevar medias.
   _____ comprar regalos.

6. ¿Le gusta leer libros?
   ¿_____ escribir cartas?
   ¿_____ hablar por teléfono?

Traduzca

1. I don't like restaurants.   No me gustan los restaurantes.
   I don't like purses.   _____.
   I don't like hats.   _____.

2. Do you like movies?   ¿Le gustan las películas?
   Do you like buses?   ¿_____?
   Do you like flowers?   ¿_____?
   Do you like dogs?   ¿_____?

3. I like to read.   Me gusta leer.
   I like to travel.   _____.
   I like to work.   _____.
   I like to study.   _____.

4. Do you like my new shoes?   ¿Te gustan mis zapatos nuevos?
   Do you like my gray ties?   ¿_____?
   Do you like my pretty socks?   ¿_____?
   Do you like my new suits?   ¿_____?

Transformación

1. No me gustan estos libros.   Prefiero esos libros.
2. No me gusta este asiento.   _____.
3. No me gusta esta revista.   _____.
4. No me gustan estas blusas.   _____.
5. No me gusta este traje.   _____.
6. No me gustan estos zapatos.   _____.

163

Alicia necesita una bolsa nueva.

Los hispanoamericanos que viven en las ciudades usan generalmente ropa de estilo moderno como nosotros en los Estados Unidos.
Los hombres llevan traje, camisa, corbata y sombrero. Las mujeres
llevan ropa de última moda. Muchas mujeres hacen sus vestidos.

Los indios en algunos países llevan sus trajes regionales. Usan
huaraches (leather sandals) o van sin zapatos, pero siempre llevan un
sombrero grande. Cada indio tiene su sarape. Las mujeres generalmente llevan falda muy ancha y blusa de muchos colores.

En las montañas, donde hace frío, los indios usan ropa de lana
(wool). La mujer india tiene que tejer (to weave) y hacer a mano
toda la ropa de su familia.

Casi todos los países hispanoamericanos tienen sus trajes nacionales. Algunos son elegantes y están bordados (embroidered) en
vivos colores. Muchas personas usan estos trajes en los días de fiesta.

¿Sí o No?

1. Las personas que viven en las ciudades hispanoamericanas
generalmente usan ropa pintoresca.   2. Cada mujer hace sus vestidos
a mano.   3. Los indios usan zapatos.   4. Los hombres llevan un
sarape en la cabeza.   5. En las montañas, donde hace frío, los indios
usan ropa de lana.   6. Muchas personas usan el traje nacional todos
los días.

Lección 20

El cumpleaños

Jorge—Pablo—Diego—Alicia

Jorge: ¿Cuál es la fecha de hoy?
Pablo: Es el primero de marzo.
Jorge: ¿Quieres ir al centro conmigo esta tarde?
Pablo: Lo siento mucho; hoy estoy ocupado.
Jorge: Tengo que comprar un regalo para Diego.
Su cumpleaños es el tres de marzo.
Pablo: ¿Van a celebrar su cumpleaños con una fiesta?
Jorge: Creo que hay una fiesta en su casa el sábado.

En la fiesta

Jorge: Buenas noches, Diego.
Diego: Buenas noches, Jorge. Pasa (Come in).
Jorge: Feliz cumpleaños.
Diego: Muchas gracias. Eres muy amable.
Quiero presentarte a varios amigos.
Jorge: ¿Quién es la muchacha que está cerca de la ventana?
Diego: Es Alicia, una amiga de mi hermana. (*A Alicia*) Alicia, quiero
presentarte a mi amigo Jorge.
Jorge: Mucho gusto.
Alicia: El gusto es mío.
Jorge: ¿Quieres bailar?
Alicia: No, gracias. Estoy muy cansada.

¿Sí o No?

1. Pablo no puede ir al centro porque está cansado.   2. Jorge va a comprar un regalo para su amigo.   3. Hay una fiesta en casa de Diego.   4. Van a celebrar el cumpleaños de su hermana.   5. Su amigo quiere presentarle a una muchacha.   6. Alicia no quiere bailar porque está ocupada.

Preguntas personales

1. ¿Va Ud. de compras hoy?   2. ¿Está Ud. ocupado (-a)?   3. ¿Está Ud. cansado (-a)?   4. ¿Tiene Ud. que ir al centro?   5. ¿Compra Ud. regalos para sus amigos?   6. ¿Hay una fiesta en su casa el día de su cumpleaños?   7. ¿Le gusta bailar?

ESTRUCTURA A

Presente de **estar**

Estoy	en la clase.
Estás	en la clase.
Está	en la clase.
Estamos	en la clase.
Estáis	en la clase.
Están	en la clase.

Usos de **estar**

¿Dónde está Felipe?	Felipe está en la escuela.
¿Dónde está el libro?	Está en la mesa.
¿Dónde está Madrid?	Madrid está en España.

1.   **Estar** is used to indicate location.

¿Cómo está Ud.?	Pedro está enfermo.
Dolores está cansada.	El profesor está ocupado.
María está contenta.	Ellas no están enfermas.

2.   **Estar** is used with such adjectives as **enfermo, cansado, ocupado, contento**, etc. to describe a condition.

PRÁCTICA

Sustitución

1. José no está en casa los sábados.
    Uds. _____.
    Yo _____.
    Nosotros _____.

2. Mis padres siempre están aquí.
    Tú _____.
    Guillermo y Ud. _____.
    Mi hermano y yo _____.

ESTRUCTURA B

Repaso del presente de **ser**

Soy   alumno (-a) de español.
Eres   alumno (-a) de español.
Es   alumno (-a) de español.
Somos alumnos (-as) de español.
Sois   alumnos (-as) de español.
Son   alumnos (-as) de español.

Usos de **ser**

Yo soy alumno.
Él es dentista.

¿Quién es él?
Yo soy americano.

1. **Ser** is used with predicate nouns and pronouns and with expressions designating profession or nationality.

    Somos de Costa Rica.   Ellos son de México.

2. **Ser** is used to designate origin.

    Es la una.   Son las dos.

3. **Ser** is used in expressions of time.

    Este es mi libro.   Ella es nuestra profesora.

4. **Ser** is used to express possession.

    Es un muchacho inteligente.   Es una casa grande.

5. **Ser** is used with adjectives designating inherent characteristics.

169

Muchos turistas van a Bogotá, la capital de Colombia.

PRÁCTICA

Sustitución

1. Yo soy de Costa Rica; estoy aquí por un mes de vacaciones.
   _____ México; _____.
   _____ Arizona; _____.
   _____ Colorado; _____.

2. Carlos y yo somos buenos amigos y estamos muy contentos.
   Nosotros _____.
   Pepe y yo _____.
   Guillermo y yo _____.

3. ¿Quién es la muchacha que está en la oficina todos los lunes?
   ¿_____ el señor _____?
   ¿_____ el alumno _____?
   ¿_____ la mujer _____?

4. Creo que Uds. no son perezosos; creo que están cansados.
   Creo que esos muchachos _____; _____.
   Creo que mis amigos _____; _____.
   Creo que sus hermanos _____; _____.

Sustitución

1. El niño está enfermo.   Los niños están enfermos.
2. Ud. es amable.   _____.
3. Yo estoy presente.   _____.
4. Mi hermano está cansado.   _____.
5. Ese traje es nuevo.   _____.
6. Yo soy rubio.   _____.
7. ¿Está Ud. ocupado?   ¿_____?
8. ¿Dónde está el profesor?   ¿_____?
9. Su tío es rico.   _____.
10. Yo estoy cansado.   _____. 171

Complete

1. Guillermo está en mi clase de inglés. Guillermo es simpático.
2. Yo estoy en casa. _____ perezoso.
3. Los refrescos son buenos. _____ en la mesa.
4. Estamos en la fiesta. _____ contentos.
5. Esas muchachas son bonitas. _____ de México.
6. Dolores es mi hermana. _____ enferma.
7. Este perro es de Enrique. _____ muy inteligente.
8. Nuestro automóvil está en la calle Olmedo. _____ nuevo.

Fuga de consonantes

Complete con consonantes:

Patricia has invited Richard, the new student in school, to her brother John's birthday party. Richard arrives at the house and Pat opens the door.

Patricia: Good evening, Ricardo. How are you? (Use the familiar form for *you*.)
_ u e _ a _   _ o _ _ e _ ,   _ i _ a _ _ o.   ¿ _ ó _ o
e _ _ á _ ?

Ricardo: I'm fine, thanks. Come in. Everybody (Todos) is on the patio. Let's go to the patio.
E _ _ o y   _ i e _ ,   _ _ a _ i a _ .   _ a _ a.   _ o _ o _
e _ _ á _   e _   e _   _ a _ i o.   _ a _ o _   a _   _ a _ i o.

Patricia: Carlota, I want to introduce my friend Ricardo.
_ a _ _ o _ a,   _ u i e _ o   _ _ e _ e _ _ a _ _ e   a   _ i
a _ i _ o   _ i _ a _ _ o.

Carlota: Very happy to know you.
_ u _ _ o   _ u _ _ o.

Ricardo: The pleasure is mine.
E _   _ u _ _ o   e _   _ í o.

Patricia: Ricardo is from California. He's in my Spanish class.
_ i _ a _ _ o   e _   _ e   _ a _ i _ o _ _ i a.
E _ _ á   e _   _ i   _ _ a _ e   _ e   e _ _ a _ o _ .

172

Carlota:	Do you like our school?
	¿_e _u__a _ue___a e__ue_a?
Ricardo:	I like it very much.
	_e _u__a _u__o.
Patricia:	Here's my brother John.
	A_uí e__á _i _e__a_o _ua_.
Ricardo:	Glad to know you. Happy birthday.
	_u__o _u__o. _e_i_ _u___ea_o_.
Juan:	Thank you very much.
	_u__a_ __a_ia_.

ESTRUCTURA C

1. Meses del año

enero	mayo	septiembre
febrero	junio	octubre
marzo	julio	noviembre
abril	agosto	diciembre

Note that the months of the year are not capitalized in Spanish.

2. Fechas (dates)

¿Cuál es la fecha? *o* ¿A cuántos estamos hoy?
Es el primero de marzo. *o* Estamos a primero de marzo.
Es el dos de marzo. *o* Estamos a dos de marzo.

Note that we use **primero** for *first,* but **dos, tres,** etc., for *second, third,* etc.

PRÁCTICA

Complete

1. Los meses del verano son junio, julio y ——————.
2. Los meses del otoño son septiembre, octubre y ——————.
3. Los meses del invierno son diciembre, enero y ——————.
4. Los meses de la primavera son marzo, abril y ——————.
5. Los meses de escuela son septiembre, octubre, ——————.

173

marzo

L	M	M	J	V	S	D
			1	2	3	4
5	6	7	8	9	10	11
12	13	14	15	16	17	18
19	20	21	22	23	24	25
26	27	28	29	30	31	

Traduzca

1. It's February 1st.
2. It's November 7th.
3. It's May 5th.
4. It's August 2nd.
5. It's April 20th.
6. It's January 1st.
7. It's December 11th.
8. It's July 31st.
9. It's March 23rd.
10. It's October 10th.

Preguntas personales

1. ¿Cuál es la fecha de hoy? 2. ¿Cuál es el día de su cumpleaños? 3. ¿Cuál es el día de nuestra independencia? 4. ¿Qué día celebramos el Año Nuevo? 5. ¿En qué mes celebramos el cumpleaños de Jorge Washington? 6. ¿Cuál es el día de la Navidad (Christmas)? 7. ¿Cuándo celebramos el Día de la Raza (Columbus Day)?

Repaso 4

I. *Conteste las preguntas en español:*

1. ¿Qué tiempo hace hoy?
2. ¿En qué estación hace frío?
3. ¿En qué mes llueve mucho?
4. ¿Hace calor en la primavera?
5. ¿Qué tiempo hace en el mes de enero?
6. ¿En qué estación hace mucho viento?
7. ¿Hace mal tiempo en el otoño?
8. ¿Cuándo hace buen tiempo?
9. ¿Cuándo hace mucho calor?
10. ¿Cuál es su estación favorita?

II. *Complete con la forma correcta de **ser** o **estar**:*

1. ¿Dónde _____ su amigo?
2. ¿Quién _____ ese muchacho?
3. Mi madre _____ enferma.
4. ¿ _____ Uds. cansados?
5. Yo _____ el hermano de José.
6. Hoy _____ el veinte de abril.
7. Pablo y Ernesto _____ ausentes hoy.
8. _____ las cinco y media.
9. Nosotros _____ ocupados.
10. Alberto y yo _____ primos.

176

11. La casa _____ de madera.
12. Los niños _____ contentos.
13. ¿ _____ grande su escuela?
14. ¿Cómo _____ Ud.?
15. El director _____ en la oficina.

III. *Complete con la fecha correcta en español:*

1. La fecha de hoy es _____.
2. Mi cumpleaños es _____.
3. Las vacaciones de verano comienzan _____.
4. Recibo mis regalos de Navidad _____.
5. Celebramos el Año Nuevo _____.
6. El cumpleaños de Washington es en el mes de _____.
7. Celebramos el Día de la Independencia _____.
8. Colón descubrió América _____.

IV. *Escriba la forma correcta del verbo:*

1. Yo no _____ ayudar a mi amigo. (poder)
2. Ana _____ estudiar. (querer)
3. ¿Qué _____ los muchachos? (hacer)
4. Uds. _____ entrar. (poder)
5. Yo _____ el trabajo. (hacer)
6. Nosotros no _____ ir al cine. (poder)
7. Yo _____ comer. (querer)
8. ¿_____ Ud. su cama? (hacer)
9. Pablo y yo _____ visitar a Tomás. (querer)
10. ¿Quién no _____ ver la pizarra? (poder)

V. *Frases locas*

Ordene las frases:

1. ¿Cuál fecha la hoy de es?
2. De lana ropa indios usan los.
3. ¿Qué en servirle puedo?
4. Este gusta gris traje le.
5. Estación agradable es más la del año.

177

178

VI. *Vocabulario*

Escoja la palabra que no pertenece al grupo:

1. sombrero, falda, blusa, sillón, vestido
2. soy, son, estamos, es, eres
3. ciudad, avenida, calle, mayor, estado
4. primera, primavera, verano, otoño, invierno
5. cabeza, pie, traje, ojo, mano

VII. *Escriba en español:*

1. Su dirección
2. Su número de teléfono
3. La fecha de su cumpleaños
4. Su edad

VIII. *Empareje*

Match a word in column B which is most closely related in thought or meaning to a word in column A. Some words in column B may be used more than once.

A		**B**
1. zapatos	(a)	traje
2. cabeza	(b)	mujer
3. ropa	(c)	hermoso
4. hombre	(d)	desear
5. lana	(e)	medias
6. mano	(f)	pelo
7. camisa	(g)	mejor
8. bello	(h)	corbata
9. bueno	(i)	suéter
10. querer	(j)	guantes

la lechuga

las espinacas

la cebolla   los pimientos

los tomates   las patatas

Lección 21

En una tienda de comestibles

Señora Palma—Señor Martínez

Señora Palma: Buenas tardes, señor Martínez.

Señor Martínez: Muy buenas tardes, señora. ¿Qué desea Ud. hoy?

Señora Palma: Quiero una docena de huevos, una libra de mantequilla y una botella de leche.

Señor Martínez: Muy bien, señora. ¿Algo más, señora?

Señora Palma: Sí, necesito 5 libras de azúcar y media libra de queso.

Señor Martínez: Con mucho gusto. ¿Qué más, señora?

Señora Palma: ¿Tiene Ud. verduras frescas (fresh vegetables) hoy?

Señor Martínez: ¡Ya lo creo! Hay lechugas, espinacas y cebollas.

Señora Palma: Bien, quiero dos libras de cebollas. Necesito patatas y guisantes.

Señor Martínez: Con mucho gusto. ¿Desea Ud. frutas también?

Señora Palma: ¿Qué frutas hay?

Señor Martínez: Naranjas, manzanas, peras, melones, uvas y bananas. Y mire Ud. (look at) estas fresas, señora.

Señora Palma: Sí, me gustan esas fresas. Déme Ud. una caja (box) de fresas. ¿Cuánto cuestan las naranjas?

Señor Martínez: Ochenta centavos la docena.

Señora Palma: Muy bien, señor Martínez. ¿Pago aquí?

Señor Martínez: No, señora. Tenga Ud. la bondad de pagar en la caja (at the cashier's desk).

Señora Palma: Muchas gracias, señor. Hasta la vista.

181

Preguntas personales

1. ¿Come Ud. muchos huevos?   2. ¿Usa Ud. mucha mantequilla?
3. ¿Bebe Ud. leche todos los días?   4. ¿Le gusta la verdura?   5.
¿Hay lechugas frescas en el mercado?   6. ¿Le gustan las espinacas?
¿Las cebollas?   7. ¿Come su familia mucha fruta?   8. ¿Cuestan
mucho las naranjas?   9. ¿Le gustan las fresas?   10. ¿Hay buenas uvas
en el mercado ahora?

ESTRUCTURA A

Dos formas de expresar *please* con el infinitivo:

> Hága(me) Ud. el favor de + infinitivo
> Tenga Ud. la bondad de + infinitivo

> Haga Ud. el favor de darme una caja de fresas frescas.
> Tenga Ud. la bondad de pagar en la caja.

Note: Déme Ud. una caja de fresas, por favor.
Por favor also means *please,* and is used in a sentence when there is no
infinitive.

PRÁCTICA

Sustitución

1.   Haga Ud. el favor de ir al mercado.

   _____ comprar verduras.

   _____ pagar al señor.

   _____ darme unas manzanas.

2.   Tenga Ud. la bondad de ayudar a la señora.

   _____ preparar la comida.

   _____ comer con nosotros.

   _____ pasar al comedor.

el azúcar

el queso

la mantequilla

la leche

los huevos

el melón

las manzanas

la naranja

las bananas

la pera

183

ESTRUCTURA B

Nombres de pesos (*weight*) y medidas (*measure*)

Cuesta diez centavos **la libra.**	It costs ten cents *a pound.*
Las naranjas cuestan ochenta centavos la docena.	The oranges cost eighty cents *a dozen.*

PRÁCTICA

Sustitución

1. Las naranjas cuestan ochenta centavos la docena.
   Los huevos ———————————.

2. La mantequilla cuesta ochenta centavos la libra.
   El queso ———————————.

3. Los guisantes cuestan treinta centavos la lata.
   Las peras ———————————.

4. La leche cuesta treinta centavos la botella.
   La soda de limón ———————————.

5. Las fresas cuestan sesenta centavos la caja.
   Los dulces (candy) ———————————.

Conteste

1. ¿Cuánto cuesta una libra de mante-   Ochenta centavos la libra.
   quilla?
      (ochenta centavos)

2. ¿Cuánto cuesta una docena de huevos? ———————————.
      (sesenta centavos)

3. ¿Cuánto cuesta una lata de peras?   ———————————.
      (cuarenta centavos)

4. ¿Cuánto cuesta una caja de dulces?   ———————————.
      (un dólar)

Tenga Ud. la bondad de pagar en la caja.

ESTRUCTURA C

Pronombres personales después de preposiciones

para mí	para nosotros (-as)
para ti	para vosotros (-as)
para Ud.	para Uds.
para él	para ellos
para ella	para ellas

Personal pronouns used after prepositions are the same as the subject pronouns except for **mí** and **ti.**

Note that **con** when combined with **mí** and **ti** become **conmigo** and **contigo** (with me and with you). **De** never contracts with the personal pronoun **él.**

PRÁCTICA

Escriba los pronombres personales en español

Modelos: para (*me*)   para **mí**   con (*us*)   con **nosotros**

1.   a   (us) _____
2.   de   (them, m.) _____
3.   sin   (him) _____
4.   en   (it, m.) _____
5.   cerca de   (you, fam. sing.) _____
6.   enfrente de   (me) _____
7.   lejos de   (you, formal sing.) _____
8.   detrás de   (her) _____
9.   debajo de   (us) _____

Sustitución

1.   Elena vive cerca de mí.
     Tomás _____.

2.   Elena va a la escuela conmigo.
     Tomás _____.

3.   Este libro es para ti.
     Este dinero _____.

4.   El profesor quiere hablar con migo.
     El señor _____.

5. No puedo trabajar sin Ud.
    No puedo estudiar _____.

6. Julia recibe cartas de él.
    Catalina _____.

7. Mi asiento está delante de ella.
    Su amiga _____.

8. ¿Quién está detrás de Uds.?
    ¿Quiénes están _____?

9. Vamos al baile sin ellas.
    Vas al cine _____.

10. La pizarra está enfrente de ellos.
    La mesa _____.

Responda

1. ¿Recibe Ud. cartas de sus amigos? No, no recibo cartas de ellos.
2. ¿Vive Ud. lejos de su primo? No, no vivo lejos de él.
3. ¿Van Uds. al baile con Pedro y
    Antonio? _____.
4. ¿Habla Ud. mucho de sus padres? _____.
5. ¿Son los libros para ti? _____.

Sustitución

1. Alberto va al cine sin ellos. Alberto va al cine sin él.
2. Juan vive lejos de mí. Juan vive lejos de nosotros.
3. La mesa está detrás de ellas. _____.
4. Estos libros son para ti. _____.
5. Luisa estudia conmigo. _____.

*Las tres
comidas*

El desayuno

La cena

*El
almuerzo*

Lección 22

Las tres comidas

Ana—Berta

Ana: ¿Qué toma Ud. para el desayuno?

Berta: Generalmente tomo jugo de naranja, cereal con crema y huevos con tocino.

Ana: ¿Bebe Ud. café o leche?

Berta: Bebo leche y algunas veces chocolate.

Ana: ¿Come Ud. pan tostado o panecillos para el desayuno?

Berta: Prefiero pan tostado con mantequilla y jalea.

Ana: ¿Qué toma Ud. para el almuerzo?

Berta: Generalmente tomo un sandwich, una ensalada, leche y helado.

Ana: ¿No tiene Ud. hambre cuando sale de la escuela?

Berta: No, no tengo mucha hambre, pero siempre tengo sed. Cuando llego a casa tomo un vaso de leche o una limonada.

Ana: ¿A qué hora come su familia?

Berta: Comemos a las siete de la noche.

Ana: ¿Qué toma Ud. para la cena?

Berta: Tomo sopa, carne o pescado, ensalada y postre.

ESTRUCTURA A

De en expresiones con comidas

jugo **de** naranja
un sandwich **de** pollo
pastel **de** manzana

PRÁCTICA

Sustitución

1. Tomo jugo de naranja.
    _____ manzana.
    _____ tomate.

2. Tráigame un sandwich de pollo.
    _____ queso.
    _____ jamón.

3. Prefiero sopa de legumbres.
    _____ cebolla.
    _____ pollo.

4. Me gusta el pastel de manzana.
    _____ fresa.
    _____ banana.

5. Quiero una ensalada de legumbres.
    _____ patatas.
    _____ lechuga.

Responda

1. Para el desayuno . . .
    ¿Quiere Ud. pan tostado o panecillos? Prefiero pan tostado.
    ¿Quiere Ud. jalea de fresa o mermelada? _____.
    ¿Quiere Ud. leche o café? _____.
    ¿Quiere Ud. huevos con tocino o con jamón? _____.

2. Para el almuerzo . . .
    ¿Va Ud. a tomar sopa de tomate o sopa de cebolla? Voy a tomar _____.
    ¿Va Ud. a tomar un sandwich de pollo o de jamón? _____.
    ¿Va Ud. a tomar helado de chocolate o de vainilla? _____.

3. Para la comida . . .
    ¿Prefiere Ud. carne o pescado? Prefiero _____.
    ¿Prefiere Ud. patatas o verduras? _____.

¿Prefiere Ud. una ensalada de tomate o de lechuga? _____.
¿Prefiere Ud. pastel de manzana o de fresa? _____.

ESTRUCTURA B

Más expresiones con **tener**

Tengo hambre.	*I am hungry.*
Tenemos sed.	*We are thirsty.*

In Spanish, **tener** (*to have*) is used when one speaks of being hungry or thirsty.

¿Tiene Ud. mucha hambre (sed)?   *Are you very hungry (thirsty)?*
Mucho-a, not **muy,** is used to express *very* in these expressions.

PRÁCTICA

Sustitución

1. Cuando tengo hambre, como pan.
    _____ un sandwich.
    _____ una manzana.

2. Tomamos leche cuando tenemos sed.
    _____ un refresco _____.
    _____ una limonada _____.

3. Roberto no tiene hambre ahora.
    Tú _____.
    Ellos _____.

4. El perro tiene sed.
    Yo _____.
    Mis amigos _____.

Preguntas personales

1. ¿Tiene Ud. mucha hambre al mediodía?   2. ¿Toma Ud. un vaso de leche cuando llega a casa?   3. ¿A qué hora toma Ud. el desayuno en su casa?   4. ¿Le gustan las espinacas?   5. ¿Qué ensalada

191

Los Productos
de la América Latina

prefiere Ud.? 6. ¿Come Ud. carne y patatas todos los días? 7. ¿Cuál es su postre favorito? 8. ¿Tiene Ud. sed ahora? 9. ¿Qué toma en el desayuno? 10. ¿Qué toma para el almuerzo?

NOTAS CULTURALES

Los productos de la América Latina

Todos los días llegan a los puertos de los Estados Unidos muchos barcos cargados de productos de la América Latina. Del Brasil llegan barcos llenos de café; de los puertos de Centroamérica vienen barcos llenos de plátanos, piñas y otras frutas tropicales.

Compramos gran cantidad de cacao del Ecuador, de la República Dominicana y de otros países. Del cacao se hace el chocolate. El chocolate se necesita para dulces, bebidas y pasteles. Compramos también gran cantidad de chicle. El chicle viene de México y de Guatemala.

En muchos países de la América Latina se hallan (are found) minerales preciosos como el oro, la plata y el platino. México ocupa el primer lugar en la producción de plata; Colombia ocupa el tercer lugar en la producción de platino. El Brasil tiene grandes depósitos de hierro (iron). En Chile y en el Perú hay famosas minas de cobre (copper). En Bolivia se produce casi todo el estaño (tin) de las Américas.

El petróleo en Venezuela tiene más importancia cada día. Venezuela es el segundo país de América en la producción de petróleo.

Los países latinoamericanos exportan grandes cantidades de sus productos a los Estados Unidos. En cambio vendemos a todos los países de la América Latina tractores y toda clase de maquinaria. Esta dependencia económica resulta en buenas relaciones entre los países de las Américas.

¿Sí o No?

1. El café viene del Brasil. 2. El plátano es una fruta tropical. 3. Se necesita el cacao para hacer dulces. 4. Se usa mucho chicle en los Estados Unidos. 5. El oro y la plata son minerales preciosos. 6. Bolivia produce casi todo el petróleo de las Américas. 7. Recibi-

193

194

mos muchos productos de la América Latina.   8. México vende muchos automóviles a nuestro país.

ESTRUCTURA C

Presente de **venir**   *to come*

Vengo	a la clase.
Vienes	a la clase.
Viene	a la clase.
Venimos	a la clase.
Venís	a la clase.
Vienen	a la clase.

PRÁCTICA

Sustitución

1. Vengo a tiempo.
   _____ las dos.
   _____ mi casa.

2. Siempre venimos temprano.
   _____ tarde.
   _____ hoy.

3. ¿Vienes tú conmigo?
   ¿_____ nosotros?
   ¿_____ María?

4. ¿Viene Ud. por la mañana?
   ¿_____ noche?
   ¿_____ tarde?

Sustitución

1. Uds. vienen de la fiesta.
2. Tú _____.
3. Nosotros _____.
4. Ella _____.
5. Yo _____.
6. Los niños _____.
7. Susana y yo _____.
8. Jorge _____.
9. Ricardo _____.
10. María y Rosa _____.

Lección 23

¿Qué comen los hispanoamericanos?

Las mujeres de Hispanoamérica pasan mucho tiempo en la preparación de la comida.

El desayuno no es una comida grande. Generalmente consiste en una taza de chocolate o una taza de café con leche. Al mediodía se come (is eaten) la comida principal del día. Las oficinas y las tiendas se cierran (are closed) por dos o tres horas. Todos los padres van a casa a comer con la familia. Algunas personas duermen la siesta antes de volver (before returning) al trabajo.

A las cuatro y media o cinco de la tarde muchos toman la merienda, que consiste en chocolate o café y pan dulce o pastel. A estas horas los restaurantes y cafés al aire libre (open air) están llenos de gente (people).

La cena es de las siete a las nueve de la noche. Es una comida bastante grande.

¿Sí o No?

1. Las mujeres de Hispanoamérica generalmente no sirven comidas preparadas en latas.   2. Para el desayuno los hispanoamericanos toman café con leche y un postre.   3. Durante el mediodía los cafés están llenos de gente.   4. Muchos hombres van a casa para tomar la merienda.

ESTRUCTURA   A

Verbos que cambian el radical: **e > ie**
Presente de **cerrar** *to close*   primera conjugación

Cierro   la puerta.
Cierras   la puerta.
Cierra   la puerta.
Cerramos la puerta.
Cerráis   la puerta.
Cierran   la puerta.

Presente de **entender** *to understand*   segunda conjugación

Entiendo   la lección.
Entiendes   la lección.
Entiende   la lección.
Entendemos la lección.
Entendéis   la lección.
Entienden   la lección.

Presente de **preferir** *to prefer*   tercera conjugación

Prefiero   café.
Prefieres   café.
Prefiere   café.
Preferimos café.
Preferís   café.
Prefieren   café.

Note that only the **nosotros** and **vosotros** forms are regular.

Algunos verbos del grupo **e > ie**

cerrar *to close*
empezar *to begin*
pensar *to think, to intend to*
perder *to lose*

entender *to understand*
sentir *to feel sorry*
preferir *to prefer*
querer *to want, to wish*

The verbs belonging to this group are listed in the vocabulary in this form: **cerrar (ie)   perder (ie)**.

PRÁCTICA

Sustitución

1. José cierra las ventanas.
    Nosotros cerramos las ventanas.
    Yo _____.
    Uds. _____.
    Tú _____.
    La muchacha _____.
    Juan y yo _____.

2. Ese alumno no entiende la lección.
    Juan y yo no entendemos la lección.
    Ud. _____.
    Los muchachos _____.
    Tú _____.
    Nosotros _____.
    Yo _____.

3. Ud. empieza a trabajar.
    Isabel y yo empezamos a trabajar.
    Las muchachas _____.
    Tú _____.
    Ella _____.
    Nosotros _____.
    Yo _____.

4. Elena siempre pierde algo.
    Nosotros siempre perdemos algo.
    Yo _____.
    Los niños _____.
    Tú _____.
    Pablo _____.
    Ud. y yo _____.

5. Carmen quiere comer temprano.
    Nosotros queremos comer temprano.
    Tú _____.
    La familia _____.
    Ellas _____.
    Yo _____.
    Tú y yo _____.

6. Ud. prefiere almorzar en casa.
   Nosotros preferimos almorzar en casa.
   Tú _____.
   Yo _____.
   Mi padre _____.
   Mi hermano y yo _____.
   Luisa y Ana _____.

Responda

1. ¿Cierra Ud. el libro?   Sí, cierro el libro.
   ¿Entiende Ud. el español?   _____.
   ¿Empieza Ud. a estudiar?   _____.
   ¿Pierde Ud. muchas cosas?   _____.
   ¿Prefiere Ud. comer aquí?   _____.

2. ¿Prefieren Uds. leche?   Sí, preferimos leche.
   ¿Entienden Uds. todo?   _____.
   ¿Quieren Uds. comer?   _____.
   ¿Empiezan Uds. a hablar?   _____.
   ¿Pierden Uds. mucho tiempo?   _____.

ESTRUCTURA B

Usos del reflexivo **se** con la tercera persona, singular y plural, del verbo.

   La casa se ve desde aquí.   (Se ve la casa desde aquí.)
   Las tiendas se cierran.   (Se cierran las tiendas.)

The reflexive **se** is used with the third person singular form of the verb when the noun which follows is singular.

   Se usa el libro. (El libro se usa.) *The book is used. One uses the book. People use the book.*

The reflexive **se** is used with the third person plural form of the verb when the noun which follows is plural.

   Se necesitan muchos libros. (Muchos libros se necesitan.) *Many books are needed. One needs many books. People need many books.*

PRÁCTICA

Repita

1. Se cierran las tiendas a las cinco.
2. Aquí se habla español.
3. Se produce café en el Brasil.
4. Se ve la iglesia desde aquí.
5. Se dice que el señor es rico.
6. Se ven muchos automóviles en la calle.
7. Se venden legumbres frescas en esa tienda.
8. Se leen muchas revistas en los Estados Unidos.

Sustitución

1. Se produce mucho café.
2. _____ muchos artículos.
3. Se venden _____.
4. _____ la ropa.
5. Se hace _____.
6. _____ los vestidos.
7. Se necesitan _____.
8. _____ más dinero.
9. Se usa _____.
10. _____ automóviles nuevos.
11. Se ven _____.
12. _____ la avenida.

Los tacos

Lección 24

Los platos tradicionales de Hispanoamérica

En general los hispanoamericanos comen las mismas cosas que comemos en los Estados Unidos. Sin embargo (Nevertheless), cada país tiene algunos platos tradicionales. El arroz con pollo y el cocido (stew) se comen en muchos países. En cada región se preparan de distintas maneras. En los países donde se cultiva el maíz, como en México y en Guatemala, mucha gente come tortillas. En estos países se comen también tacos, enchiladas y tamales. En todos los países se come mucho pan. En los países donde se cultiva el trigo (wheat), como en la Argentina, el pan es barato.

Los hispanoamericanos no beben tanta leche como nosotros. Toman chocolate o café con leche. En algunos países de Sudamérica los habitantes beben yerba mate. Muy pocos hispanoamericanos toman agua con sus comidas.

NOTAS CULTURALES

A **tortilla** is a flat thin cornmeal pancake; **tamales** consist of corn meal filled with chopped meat, peppers, etc. wrapped in corn husks and steamed; a **taco** is a toasted tortilla, folded over like a sandwich and filled with chopped meat, lettuce, peppers, etc.; an **enchilada** is a rolled tortilla filled with a mixture of chopped meat or chicken, cheese, onions, peppers, etc., and covered with a hot sauce; **yerba mate,** a popular drink throughout South America, is a kind of tea made of leaves grown in Paraguay and Brazil.

Preguntas personales

1. ¿Tenemos platos tradicionales en los Estados Unidos? 2. ¿Le gustan los platos mexicanos? 3. ¿Come Ud. mucho pan? 4. ¿Toma Ud. agua con todas las comidas? 5. ¿Pasa su madre mucho tiempo en la cocina? 6. ¿Va su padre a casa para tomar el almuerzo? 7. ¿A qué hora comen Uds.? 8. ¿Cuáles son los platos favoritos de su familia? 9. ¿Duerme Ud. la siesta antes de volver a la escuela? 10. ¿Hay restaurantes al aire libre en su ciudad?

ESTRUCTURA

Verbos que cambian el radical: **o > ue**
Presente de **almorzar** *to eat lunch*   primera conjugación

Al**mue**rzo	en la escuela.
Al**mue**rzas	en la escuela.
Al**mue**rza	en la escuela.
Almorzamos	en la escuela.
Almorzáis	en la escuela.
Al**mue**rzan	en la escuela.

Presente de **volver** *to return*   segunda conjugación

Vuelvo	a las cuatro.
Vuelves	a las cuatro.
Vuelve	a las cuatro.
Volvemos	a las cuatro.
Volvéis	a las cuatro.
Vuelven	a las cuatro.

Presente de **dormir** *to sleep*   tercera conjugación

Duermo	mucho.
Duermes	mucho.
Duerme	mucho.
Dormimos	mucho.
Dormís	mucho.
Duermen	mucho.

Note that only the **nosotros** and **vosotros** forms are regular.

Algunos verbos del grupo **o > ue**

almorzar	*to lunch*	recordar	*to remember*
contar	*to count*	volver	*to return*
costar	*to cost*	dormir	*to sleep*
encontrar	*to meet, to find*	poder	*to be able, can*

The verbs belonging to this group are listed in the vocabulary in this form: **almorzar (ue)   volver (ue)**.

PRÁCTICA

Repita

1. Yo almuerzo a la una.
    Yo encuentro a mi amigo.
    Yo vuelvo a casa.

2. Ud. duerme mucho.
    Carlos no recuerda el número.
    Él no puede leer.

3. Las amigas almuerzan en casa.
    Uds. no encuentran sus libros.
    Ellos no recuerdan todo.

4. Nosotros dormimos ocho horas.
    Marta y yo encontramos al profesor.
    Él y yo almorzamos en la escuela.
    Mi amigo y yo podemos trabajar.
    Nosotros volvemos temprano.

Sustitución

1. La madre no encuentra al niño.
    Nosotros ＿＿＿＿＿＿＿＿.
    Ud. ＿＿＿＿＿＿＿＿.
    Yo ＿＿＿＿＿＿＿＿.
    Los amigos ＿＿＿＿＿＿＿＿.
    Tú ＿＿＿＿＿＿＿＿.
    Carmen y yo ＿＿＿＿＿＿＿＿.

2. Carlos almuerza a las once.
    Nosotros ＿＿＿＿＿＿＿＿.
    Tú ＿＿＿＿＿＿＿＿.
    Uds. ＿＿＿＿＿＿＿＿.
    Yo ＿＿＿＿＿＿＿＿.
    Elena ＿＿＿＿＿＿＿＿.
    Ella y yo ＿＿＿＿＿＿＿＿.

3. Pedro vuelve a la casa.
    Nosotros ＿＿＿＿＿＿.
    Yo ＿＿＿＿＿＿.
    Los alumnos ＿＿＿＿＿＿.
    Ud. ＿＿＿＿＿＿.
    Ana y yo ＿＿＿＿＿＿.
    Tú ＿＿＿＿＿＿.

4. Ud. duerme mucho.
    Nosotros ＿＿＿＿＿.
    Yo ＿＿＿＿＿.
    Los niños ＿＿＿＿＿.
    Tú ＿＿＿＿＿.
    Alicia ＿＿＿＿＿.
    Mi hermano y yo ＿＿.

Complete

1. No puedo cerrar la ventana; no cierro la ventana.
2. Uds. no pueden volver temprano; no vuelven temprano.
3. Carmen no puede almorzar con nosotros; no almuerza con nosotros.
4. Tú no puedes dormir mucho; _____.
5. Nosotros no podemos entender todo; _____.
6. Yo no puedo empezar el trabajo; _____.
7. José no puede encontrar su pluma; _____.
8. Juan y yo no podemos almorzar sin Ud.; _____.
9. Tú no puedes recordar el número; _____.

Estudio de palabras

Many words ending in *-ce* in English end in **-cia** in Spanish.

| independence | *independencia* |
| residence | *residencia* |

PRÁCTICA

Dé en español:

1. reference
2. conference
3. influence
4. notice
5. justice
6. distance
7. importance
8. violence
9. presence

A few words ending in *-ce* in English end in **-cio** in Spanish.

| palace | *palacio* |
| commerce | *comercio* |

PRÁCTICA

Dé en español:

1. silence
2. sacrifice
3. vice
4. service
5. novice
6. precipice

206

Hay muchos restaurantes en las ciudades de Hispanoamérica. Los restaurantes de cada país sirven algunos platos tradicionales.

Lección 25

Un sábado en el parque

Conchita—Amalia

Conchita:	¿Quieres ir al parque el sábado?
Amalia:	¡Qué buena idea! Siempre me divierto (I enjoy myself) en el parque. ¿A qué hora quieres ir?
Conchita:	A las diez de la mañana.
Amalia:	Es muy temprano. Me acuesto tarde los viernes, y no me levanto antes de las diez.
Conchita:	¿Puedes estar lista a las once?
Amalia:	Creo que sí.
Conchita:	Voy a preparar algunos sandwiches para nuestro almuerzo.
Amalia:	¿Hay mesas en el parque?
Conchita:	No, pero siempre me siento en algún banco cerca del lago.
Amalia:	¿Qué piensas (What do you intend) hacer después del almuerzo?
Conchita:	Podemos dar un paseo (take a walk) por el parque o visitar el jardín zoológico.
Amalia:	Está bien.
Conchita:	Pues, hasta el sábado.

209

¿Sí o No?

1. Conchita quiere ir al parque el sábado.   2. Amalia cree que es buena idea.   3. Es agradable almorzar en el parque.   4. Amalia puede estar lista a las diez.   5. Conchita quiere preparar algunos sandwiches.   6. Hay varias mesas en el parque.   7. Después del almuerzo las muchachas piensan dar un paseo.   8. Siempre se sienta cerca del lago.

ESTRUCTURA A

Pronombres reflexivos

me	*myself*
te	*yourself* (familiar)
se	*yourself* *himself* *herself*
nos	*ourselves*
os	*yourselves* (familiar)
se	*yourselves* *themselves* (m.) *themselves* (f.)

ESTRUCTURA B

Presente de los verbos reflexivos

levantarse *to get up, to get oneself up*   primera conjugación

Yo me levanto	a las siete.
Tú te levantas	a las siete.
Ella se levanta	a las siete.
Nosotros nos levantamos	a las siete.
Vosotros os levantáis	a las siete.
Los alumnos se levantan	a las siete.

perderse (ie) *to get lost, to become lost*   segunda conjugación

Yo me pierdo   en el centro.
Tú te pierdes   en el centro.
Juan se pierde   en el centro.
Nosotros nos perdemos en el centro.
Vosotros os perdéis   en el centro.
Uds. se pierden   en el centro.

divertirse (ie) *to enjoy oneself, to have a good time*   tercera conjugación

Yo me divierto   mucho.
Tú te diviertes   mucho.
Él se divierte   mucho.
Nosotros nos divertimos mucho.
Vosotros os divertís   mucho.
Ellos se divierten   mucho.

Some verbs are reflexive in Spanish which are not reflexive in English.

(Yo) me levanto. *I get up, I get myself up.*

(Él) se sienta. *He sits down, He seats himself.*

(Yo) me llamo. *My name is, I call myself.*

Some reflexive verbs are:

llamarse   *to be called, named*

levantarse   *to get up*

sentarse (ie)   *to sit down*

acostarse (ue)   *to go to bed, to lie down*

divertirse (ie)   *to enjoy oneself, to have a good time*

PRÁCTICA

Sustitución

1. Yo me levanto a las seis.
    Tú _____.
    Ramón _____.
    Nosotros _____.
    Uds. _____.
    Lupe y Gloria _____.

2. Juan se acuesta tarde.
    Tú _____.
    Uds. _____.
    Yo _____.
    Nosotros _____.
    La familia _____.

3. Conchita se sienta cerca del lago.
    Uds. _____.
    Nosotros _____.
    Yo _____.
    Ud. _____.
    Tú _____.
    José y Lupe _____.

4. Jorge se divierte en la escuela.
    Carlos y Pepe _____.
    Yo _____.
    Nosotros _____.
    Tú _____.
    Uds. _____.
    Vosotros _____.

Sustitución

1. Me siento aquí.
2. Uds. se divierten mucho.
3. Las niñas se acuestan a las nueve.
4. Nos levantamos tarde.
5. El alumno se sienta cerca de la puerta.
6. Me divierto en la fiesta.

Nos sentamos aquí.
Ud. se divierte mucho.
_____.
_____.
_____.
_____.

7. Tú siempre te sientas en el banco. _____.

8. Nos acostamos temprano. _____.

Preguntas personales

1. ¿A qué hora se levanta Ud.? 2. ¿Se acuesta Ud. temprano durante la semana? 3. ¿Se divierten los alumnos en la escuela? 4. ¿Se sienta Ud. siempre cerca de sus amigos? 5. ¿Es agradable estudiar en la biblioteca? 6. ¿Le gusta dar un paseo? 7. ¿Piensa Ud. ver a sus amigos el sábado? 8. ¿Está Ud. siempre listo a tiempo?

Repaso 5

I. *Conteste las preguntas en español con frases completas:*

1. ¿Tiene Ud. hambre cuando llega de la escuela?
2. ¿Toma Ud. un vaso de leche o una taza de café?
3. ¿Duerme Ud. la siesta por la tarde?
4. ¿Qué hace Ud. antes de la comida?
5. ¿A qué hora se sirve la comida en su casa?
6. ¿Prefiere Ud. verduras frescas o verduras en lata?
7. ¿Vienen amigos a visitar a su familia por la noche?
8. ¿Siempre prepara su madre una comida para sus amigos?
9. ¿Quién lava los platos después de la comida?
10. ¿A qué hora se acuestan Uds.?

II. *Complete las frases:*

Modelo: Yo entiendo el español.   Mis amigos _____ el español.
   Mis amigos entienden el español.

1. Ud. empieza a comprender.
   Nosotros _____ comprender.
2. Tú duermes mucho.
   Uds. _____ mucho.
3. No encontramos a nuestros amigos.
   Yo _____ a nuestros amigos.
4. Volvemos a casa tarde.
   Mi padre _____ a casa tarde.

214

5. Alberto no recuerda nada.
   Él y yo _____ nada.
6. Ellos prefieren pescado.
   Yo _____ pescado.
7. Empezamos a trabajar.
   Ricardo __ a trabajar.
8. ¿Qué piensa Ud. de la película?
   ¿Qué _____ ellos de la película?
9. Nosotros volvemos a casa.
   Uds. _____ a casa.
10. Ella pierde su libro.
    Tú _____ tu libro.

III. *Escriba en español los menús para el desayuno, el almuerzo, y la comida.*

IV. *Escriba las siguientes frases, sustituyendo el nombre por el pronombre correspondiente:*

1. Teresa va al baile con *Tomás.*
2. Estos regalos son para *los niños.*
3. Su sombrero está detrás de *Luisa.*
4. Vivimos cerca de *Carmen y Ana.*
5. ¿Recibe Ud. muchas cartas de *sus amigos?*

V. *Escriba las siguientes frases, cambiando el pronombre en letra bastardilla al singular o al plural:*

1. ¿Quién quiere ir con *nosotros?*
2. Los dulces son para *ti.*
3. Viven lejos de *nosotros.*
4. Siempre hablamos de *Uds.*
5. El profesor quiere hablar *conmigo.*

VI. *Frases locas*

Ordene las frases:

1. De pagar tenga aquí Ud. la bondad.
2. Media libra necesito de queso.

3. Prefiero con mantequilla tostado pan.
4. Es grande una comida bastante.
5. En todos se come pan los países mucho.

VII. *Complete cada frase con una de las palabras siguientes:*

la   a   por   de

1. Nosotros empezamos —————— estudiar.
2. Haga Ud. el favor —————— llamar a Pedro.
3. Cuesta setenta centavos —————— libra.
4. Duermen la siesta después —————— almorzar.
5. Llegan el domingo —————— la noche.

VIII. *Composición dirigida: Las tres comidas*

Escriba una composición de 5 líneas empleando las preguntas siguientes:

1. ¿A qué hora desayuna su familia?
2. ¿Quién prepara el desayuno en su casa?
3. ¿Almuerza Ud. en su casa?
4. ¿A qué hora se sirve la cena en su casa?
5. ¿Prefiere Ud. pescado o carne?

Lección 26

Los deportes en Hispanoamérica

Manuel Pérez, como muchos jóvenes en Hispanoamérica, es aficionado a (fond of) los deportes. Juega al fútbol (soccer), al básquetbol y al tenis, pero su deporte favorito es el béisbol. Es miembro de un buen equipo de béisbol.

Enrique Pérez, el hermano mayor de Manuel, es aficionado al fútbol. Este deporte es muy popular en Hispanoamérica y en muchos países hay ligas profesionales de fútbol.

El señor Pérez es miembro de un club deportivo. La familia Pérez pasa los domingos en el club. El padre juega al golf o monta a caballo (rides horseback) con sus amigos. Casi todos los hispanoamericanos saben montar a caballo.

El club deportivo tiene una piscina (pool) grande; sin embargo, muchos jóvenes prefieren nadar (to swim) en la playa (beach) de la ciudad. Hay muchas playas bonitas en Hispanoamérica.

A veces la familia Pérez va a una corrida de toros el domingo. La familia Pérez y sus amigos asisten también a los partidos de jai alai.

El jai alai es un juego de pelota de origen español. Se parece (It resembles) a nuestro juego de *handball*. Este deporte tiene muchos aficionados (fans) entusiastas en México y en Cuba.

219

¿Sí o No?

1. Hay muchos deportes en Hispanoamérica. 2. El juego de fútbol tiene muchos aficionados. 3. En muchos países hay ligas profesionales de fútbol. 4. Los jóvenes juegan al tenis en la playa. 5. Es importante saber nadar. 6. Hay piscinas públicas en muchas ciudades. 7. Es difícil montar a caballo. 8. Algunos países de Hispanoamérica tienen corridas de toros. 9. El jai alai es de origen español. 10. Este deporte tiene muchos aficionados en México.

ESTRUCTURA A

Presente de **saber,** *to know, to know how* + el infinitivo

Sé	montar a caballo.
Sabes	montar a caballo.
Sabe	montar a caballo.
Sabemos	montar a caballo.
Sabéis	montar a caballo.
Saben	montar a caballo.

The present of **saber** is regular except the form **yo sé.**

PRÁCTICA

Sustitución

1. Yo sé la dirección.

   _____ el número.

   _____ el camino.

2. Este muchacho no sabe estudiar.

   _____ leer.

   _____ escribir.

3. ¿Sabes (tú) quién es?

   ¿_____ qué quiere?

   ¿_____ dónde está?

4. Esos jóvenes saben montar a caballo.

   _____ jugar al fútbol.

   _____ nadar.

5. María y yo sabemos nadar.

   _____ bailar.

   _____ jugar al tenis.

Sustitución

1. Ese niño sabe bailar.
   Tú _____.
   Los muchachos _____.
   Yo _____.

2. Ellos saben montar a caballo.
   Nosotros _____.
   Paco _____.
   Tú y yo _____.

ESTRUCTURA B

Presente de **jugar** *to play games*   primera conjugación

Juego   al tenis.
Juegas   al fútbol.
Juega   al béisbol.
Jugamos al tenis.
Jugáis   al fútbol.
Juegan   al béisbol.

Note the **u > ue** in all singular forms and in the third person plural form. Use **a** before the name of a sport or game: **Juego al tenis.**

PRÁCTICA

Sustitución

1. Yo juego a la pelota.
   _____ al béisbol.
   _____ al tenis.

2. Jugamos en el parque.
   _____ el patio.
   _____ la playa.

3. Tú no juegas al fútbol.
   _____ al golf.
   _____ al tenis.

4. Mi hermano juega con el equipo.
   _____ con sus amigos.
   _____ en el partido.

5. Uds. juegan después de trabajar.
   _____ después de estudiar.
   _____ después de leer.

221

ESTRUCTURA C

Usos de **jugar a,** *to play a game* y **tocar,** *to play an instrument*

Modelos: Juego al béisbol.
Jugamos al fútbol.

Pero: Jugamos con nuestros amigos.

¿Toca Ud. el piano?
Toco el violín.

PRÁCTICA

Use **jugar, jugar a** o **tocar:**

1. Juan ——————— tenis.
2. Pedro ——————— con el equipo.
3. Mi amigo ——————— el violín.
4. Carmen ——————— en la orquesta.
5. Fernando ——————— la pelota.
6. Arturo no ——————— la guitarra.
7. Pepe ——————— béisbol.
8. María ——————— con los niños.
9. Susana ——————— el piano.
10. Pepe ——————— fútbol.

Preguntas personales

1. ¿Hay corridas de toros en los Estados Unidos? 2. ¿Cuál es nuestro deporte nacional? 3. ¿Qué deporte le gusta más? 4. ¿Juegan Uds. a la pelota en la escuela? 5. ¿Tiene su escuela un buen equipo de fútbol? 6. ¿En qué mes se juega el primer partido de fútbol? 7. ¿Ganan Uds. muchos partidos? 8. ¿Va Ud. a la playa durante el verano? 9. ¿Sabe Ud. nadar? 10. ¿Le gusta montar a caballo? 11. ¿Sabe Ud. tocar la guitarra? 12. ¿Toca Ud. en la orquesta de la escuela?

222

Tres verbos importantes para los aficionados a los deportes son:

ganar *to win*   **empatar** *to tie the score*   **perder** (**ie**) *to lose*

PRÁCTICA

Dé la forma indicada de los verbos

Yo _____ (ganar)	Él _____ (empatar)
Ud. _____ (perder)	Nosotros _____ (ganar)
Ellos _____ (empatar)	Tú _____ (perder)

ESTRUCTURA D

Adjetivos abreviados

Tomás es un **buen** muchacho.
Es un **mal** hijo.
Enero es el **primer** mes del año.
Vive en el **tercer** piso.
Se sientan en **algún** banco.
Ningún alumno está ausente hoy.

The adjectives **bueno, primero, tercero,** and **alguno,** like **uno,** drop the final **-o** when they come immediately before a masculine singular noun. Note that **algún** and **ningún** require an accent mark.

Tomás es un muchacho **bueno.**
Es un hijo **malo.**

The **o** is not dropped when these adjectives follow the noun.

Vivo en la **primera** casa.
María es una **buena** muchacha.
Algunos bancos son cómodos.
Ellas son **buenas** muchachas.

The feminine and the plural endings of these adjectives are never dropped.

223

Es un **gran** médico.
Es una **gran** señora.

The adjective **grande** drops the final **-de** and becomes **gran** when it precedes a singular masculine or feminine noun.

Es un **gran** presidente.
Es un hombre **grande.**

Gran before a noun means *great.* **Grande** following a noun means *large* or *big.*

PRÁCTICA

Sustitución

1. ¡Qué mal tiempo!
   ¡_____ trabajo!
   ¡_____ niña!

2. Es el primer día.
   _____ partido.
   _____ lección.

3. Vivo en el tercer edificio.
   _____ piso.
   _____ casa.

4. El joven quiere algún papel.
   _____ periódico.
   _____ revista.

Sustitución

1. Son malos caminos.
2. Son buenas ideas.
3. Los primeros días son difíciles.
4. Son buenos amigos.
5. Algunos equipos siempre ganan.
6. Son asientos malos.

Es un mal camino.
_____.
_____.
_____.
_____.
_____.

Sustitución

1. Es un gran general.
   _____ médico.
   _____ héroe.
   _____ deporte.

2. Son grandes amigos.
   _____ aficionados.
   _____ partidos de tenis.
   _____ fiestas nacionales.

224

3. Es una gran señora.

_____ amiga.

_____ mujer.

_____ nación.

4. En la ciudad hay un parque grande.

_____ una piscina _____.

_____ muchos edificios _____.

_____ algunas fábricas _____.

Estudio de palabras

Many words in Spanish have a corresponding noun which refers to the person who performs the action of the verb. This noun is formed by dropping the **-r** of the infinitive and adding **-dor (-dora)**.

jugar *to play*   el jugador *the player*

vender *to sell*   el vendedor *the seller*

PRÁCTICA

Dé el nombre que corresponde a cada uno de los siguientes verbos:

1. trabajar   el _____
2. explorar   el _____
3. pescar   el _____
4. cazar   el _____
5. boxear   el _____
6. nadar   el _____
7. libertar   el _____
8. conquistar   el _____
9. descubrir   el _____
10. exportar   el _____
11. importar   el _____
12. observar   el _____

Lección 27

Una conversación
por teléfono

Dolores—Carlos—Ana

Dolores: !Bueno*! (Hello!)

Carlos: ¿Está Ana?

Dolores: ¿Quién habla?

Carlos: Habla Carlos.

Dolores: Un momentito. Creo que Ana está en el patio.

Ana: ¿Qué tal, Carlos?

Carlos: Bien, gracias. ¿Qué haces (tú) el sábado?

Ana: El sábado por la tarde voy al cine con mi hermanito; por la noche no hago nada.

Carlos: ¿Quieres (tú) ir conmigo a una fiesta en casa de Carmen?

Ana: ¿A qué hora empieza la fiesta?

Carlos: Empieza a las siete.

Ana: ¿Por qué tan temprano?

Carlos: Carmen va a servir una comida y después de la comida vamos a bailar.

Ana: Primero, tengo que pedir permiso a mis padres. Siempre pido permiso para salir de noche.

Carlos: ¿Puedes (tú) estar lista a las seis y media?

Ana: Creo que sí.

Carlos: Entonces, voy a pasar por tu casa a las seis y media en punto.

*Diga and aló are also used in Spanish when answering the telephone.

227

Preguntas basadas en el diálogo

1. ¿Quién llama a Ana por teléfono? 2. ¿Qué hace Ana el sábado por la noche? 3. ¿Dónde hay una fiesta? 4. ¿A qué hora empieza la fiesta? 5. ¿Qué va a servir Carmen? 6. ¿Qué van a hacer los muchachos después de la comida? 7. ¿A quiénes pide permiso Ana para salir de noche? 8. ¿A qué hora va a pasar Carlos por la casa de Ana?

ESTRUCTURA A

Verbos que cambian el radical: **e > i**
Presente de **servir:** *to serve*   tercera conjugación

Sirvo	la comida.
Sirves	la comida.
Sirve	la comida.
Servimos	la comida.
Servís	la comida.
Sirven	la comida.

Presente de **pedir** *to ask for, to request*   tercera conjugación

Pido	permiso para salir.
Pides	permiso para salir.
Pide	permiso para salir.
Pedimos	permiso para salir.
Pedís	permiso para salir.
Piden	permiso para salir.

Note that only the **nosotros** and **vosotros** forms are regular.

Algunos verbos del grupo **e > i**

servir *to serve*   **pedir** *to ask for, to request*
vestirse *to wear, to dress*   **repetir** *to repeat*

The verbs belonging to this group are listed in the vocabulary in this form:
servir (i)   pedir (i)   vestirse (i).

PRÁCTICA

Sustitución

1. Nosotros servimos la comida.
   Yo _____.
   Ellos _____.
   Vosotros _____.
   Mi madre _____.
   Ella y yo _____.
   Uds. _____.

2. Repetimos los ejercicios en casa.
   Yo _____.
   Uds. _____.
   Luisa _____.
   Vosotros _____.
   Mis amigos _____.
   Ud. y yo _____.

3. Pedimos permiso al profesor.
   Ud. _____.
   Los muchachos _____.
   Tú _____.
   Mi hermano y yo _____.
   Yo _____.

4. Yo me visto rápidamente.
   Tú _____.
   Ella _____.
   Nosotros _____.
   Uds. _____.
   Ellos _____.

Responda

1. ¿Van Uds. a servir la comida temprano?

   Siempre servimos la comida temprano.

2. ¿Va Ud. a repetir las palabras difíciles?

   _____.

3. ¿Van Uds. a pedir una revista española?

   _____.

4. ¿Vas a servir refrescos? _____.

5. ¿Van Uds. a repetir el ejercicio? _____.

Fuga de vocales

Betty calls her friend Isabel. Her little sister Gloria answers the phone and asks who it is.

Gloria: ¡B _ _ n _! ¿Q _ _ _ n h _ bl _?

Betty tells her, and says she wants to talk to Isabel.

Betty: H _ bl _ B _ tt _. Q _ _ _ r _ h _ bl _ r c _ n _ s _ b _ l.

Gloria says, "Just a moment."

Gloria: _n   m _ m _ nt _ t _.

Isabel goes to the phone and greets her friend Betty.

Isabel: !H _ l _ ,   B _ tt _ !   ¿Q _ _   t _ l?

Betty asks if she's busy tomorrow afternoon.

Betty: ¿ _ st _ s   _ c _ p _ d _   m _ ñ _ n _   p _ r
        l _   t _ rd _ ?

Isabel says no she isn't doing anything tomorrow.

Isabel: N _, n _   h _ g _   n _ d _   m _ ñ _ n _ .

Betty asks if she can go to town with her. She wants to buy some records.

Betty: ¿P _ _ d _ s   _ r   _ l   c _ ntr _   c _ nm _ _ g _ ?
        Q _ _ _ r _   c _ mpr _ r   _ lg _ n _ s   d _ sc _ s.

Isabel is delighted! She asks if they're going by bus.

Isabel: (¡ _ nc _ nt _ d _ !)   ¿V _ m _ s   _ n   _ _ t _ b _ s?

Betty says she doesn't know. She's going to ask her father for the car.

Betty: N _   s _ .   V _ y   _   p _ d _ r   _ l   c _ ch _   _   m _
        p _ dr _ .

Isabel asks what time Betty wants to go.

Isabel: ¿ _   q _ _   h _ r _   q _ _ _ r _ s   _ r?

Betty says at two o'clock.

Betty: _   l _ s   d _ s   d _   l _   t _ rd _ .

Isabel asks why so early.

Isabel: ¿P _ r   q _ _   t _ n   t _ mpr _ n _ ?

Betty says her mother always serves dinner early.

Betty: M _   m _ dr _   s _ _ mpr _   s _ rv _   l _   c _ m _ d _
t _ mpr _ n _ .

Isabel says, "All right. See you tomorrow."

Isabel: _ st _   b _ _ n.   H _ st _   m _ ñ _ n _ .

ESTRUCTURA B

Presente de **oír** *to hear*

Oigo   el teléfono.
Oyes   el teléfono.
Oye   el teléfono.
Oímos el teléfono.
Oís   el teléfono.
Oyen el teléfono.

PRÁCTICA

Sustitución

1. No oigo el teléfono.
    _____ el reloj.
    _____ nada.

2. Tú oyes al niño.
    _____ a tu vecino.
    _____ a tu amigo.

3. ¿Oye Ud. el aeroplano?
    ¿_____ las campanas de la iglesia?
    ¿_____ el tren?

4. Uds. no oyen la música.
    _____ la canción.
    _____ a los actores.

5. Oímos los pájaros.
    _____ la orquesta.
    _____ la banda.

231

232

Transformación

1. El alumno no puede oír al profesor. El alumno no oye al profesor.
2. Ellos pueden oír el tráfico de la calle. Ellos oyen el tráfico de la calle.
3. Podemos oír las campanas. _____.
4. Yo no puedo oír nada. _____.
5. El niño puede oír a su madre. _____.
6. Uds. pueden oír la banda. _____.

Lección 28

Los pueblos hispanoamericanos

En los pueblos hispanoamericanos se conservan las tradiciones y las costumbres del país.

Todos los pueblos tienen una plaza principal. En la plaza hay árboles y flores, una fuente en el centro y varios bancos. En la plaza se encuentran tiendas, cafés, restaurantes y otros edificios. El edificio más alto, más bello y más importante es siempre la iglesia del pueblo.

La vida diaria (daily) de un pueblo es tranquila, casi monótona. Nadie tiene prisa (Nobody is in a hurry). Los hombres se levantan temprano y van al trabajo. Muchos cultivan la tierra (land); algunos trabajan en las minas o en las pequeñas industrias del pueblo.

Mientras los hombres están trabajando, las mujeres se quedan en casa cuidando de los niños y preparando las comidas.

Los domingos por la mañana se oyen las campanas de la iglesia llamando a la gente a la misa. Por la tarde muchos visitan a sus amigos, o van a la plaza para oír la banda municipal. En la plaza los niños se divierten jugando, corriendo (running) y saltando (jumping).

235

Complete con la expresión correcta en paréntesis

1. Para conocer a los hispanoamericanos es necesario visitar (las ciudades, los pueblos, las calles). 2. En la plaza los habitantes se sientan en (los árboles, las flores, los bancos). 3. El edificio más alto y más bello del pueblo es (la tienda, la iglesia, el café). 4. En los pueblos nadie tiene (sed, hambre, prisa). 5. Mientras los hombres están trabajando, las mujeres (se quedan en casa, se pasean, cultivan la tierra). 6. Los domingos por la tarde muchos van a la plaza para oír (la música de un hombre, la banda municipal, las campanas de la iglesia).

Preguntas personales

1. ¿Hay una plaza bonita en su ciudad? 2. ¿Tiene su ciudad (pueblo) una banda municipal? 3. ¿Se pasea Ud. por el parque los domingos? 4. ¿Se queda Ud. en casa los sábados? 5. ¿Corre Ud. cuando tiene prisa? 6. ¿Encuentra Ud. a sus amigos en el cine? 7. ¿Lava Ud. su ropa? 8. ¿Estudia Ud. mientras está en la escuela?

ESTRUCTURA A

El gerundio—**ando, -iendo**   *-ing*

	infinitivo	español	inglés
Primera conjugación	habl|ar	habl|ando	*speaking*
Segunda conjugación	corr|er	corr|iendo	*running*
Tercera conjugación	viv|ir	viv|iendo	*living*

El presente progresivo   (**estar** + verb stem + **-ando**) *-ing*
                                                        -iendo)

I am speak*ing* — Estoy habl**ando.**
                          Está jugando.
                          Estamos comiendo.
                          ¿Están Uds. comiendo?
                          Los hombres están trabajando.

Note: El presente

Juan estudia el español. *John is studying, does study, studies Spanish.*

El presente progresivo

Juan está estudiando en su cuarto. *John is studying in his room right now.*

PRÁCTICA

Sustitución

1. Ana está hablando por teléfono.

   Yo _____.

   Uds. _____.

   Nosotros _____.

   Vosotros _____.

   Ella _____.

2. Estamos jugando con los niños.

   Ud. _____.

   Yo _____.

   Ellas _____.

   Tú _____.

   Lupe y yo _____.

3. Juan está estudiando la lección.

   Tú _____.

   Nosotros _____.

   Uds. _____.

   Él _____.

   Yo _____.

4. Pepe está cerrando la puerta.

   Uds. _____.

   Yo _____.

   Nosotros _____.

   Tú _____.

   Roberto _____.

Transformación

1. Uds. estudian el español.   Uds. están estudiando el español.
2. Hablamos mucho.   Estamos hablando mucho.
3. El hombre cultiva la tierra.   _____.
4. La mujer lava la ropa.   _____.
5. Celebramos el cumpleaños de José.   _____.
6. Alberto toca el disco nuevo.   _____.

237

Sustitución

1. Rosa está aprendiendo el español.

   Nosotros _____.
   Los muchachos _____.
   Tú _____.
   Ella _____.
   Yo _____.
   Ud. _____.

2. Estamos leyendo un libro interesante.

   El profesor _____.
   Vosotros _____.
   Uds. _____.
   Yo _____.
   Él _____.
   Ud. _____.

3. Están escribiendo una carta.

   Yo _____.
   Nosotros _____.
   Ud. _____.
   Mis padres _____.
   Tú _____.

4. Carolina está haciendo un suéter.

   Mis amigas _____.
   Yo _____.
   Nosotros _____.
   Tú _____.
   Mi madre _____.

Transformación

1. Leemos las noticias.
2. ¿Qué escribes en el papel?
3. ¿Qué hacen los muchachos?
4. Él corre mucho.
5. ¿Qué come el niño?
6. Mi primo aprende a bailar.

Estamos leyendo las noticias.
¿Qué estás escribiendo en el papel?
¿_____?
_____.
¿_____?
_____.

ESTRUCTURA B

Presente de **salir** *to leave, to go out*

Salgo   temprano.
Sales   temprano.
Sale   temprano.
Salimos temprano.
Salís   temprano.
Salen   temprano.

Salen de la ciudad.   **Salen por** la puerta.   **Salen para** la ciudad.

Salir is followed by **de** when one is leaving (going out of) a place. **Salir** is followed by **por** when one is going out (leaving through) a door, etc. **Salir** is followed by **para** when one is leaving for a place.

PRÁCTICA

Sustitución

1. Ellos salen de la escuela.
    Yo _____.
    Tú y Pablo _____.
    Ud. _____.

2. Salimos por esa puerta.
    Anita y yo _____.
    Ernesto _____.
    Tú _____.

3. Enrique sale para México.
    Tú y yo _____.
    Yo _____.
    Uds. _____.

ESTRUCTURA C

Presente de **valer** *to cost, to be worth*

            singular **vale**   plural **valen**

La camisa **vale** cinco dólares. Las camisas **valen** quince dólares.
Expresión: ¡No **vale** la pena!   *It's not worthwhile!*

Preguntas personales

1. ¿Sale su familia para México este verano?   2. ¿Sale Ud. con sus amigos los sábados?   3. ¿A qué hora salen Uds. de la escuela? 4.   ¿Salen los alumnos por las puertas o por las ventanas?   5. ¿Sale Ud. para la escuela tarde o temprano?   6. ¿Quién sale de esta clase primero?   7. ¿Vale mucho un coche nuevo?   8. ¿Cuánto vale una camisa nueva?

Lección 29

Preparativos para el viaje

El señor Roberts—El señor Brown (su amigo)

Señor Brown: ¿Cuándo sale Ud. para México?

Señor Roberts: Salgo la semana próxima.

Señor Brown: ¿Viajan Uds. en automóvil?

Señor Roberts: No, viajamos en avión.

Señor Brown: ¿Lleva Ud. a toda su familia?

Señor Roberts: ¡Ya lo creo!

Señor Brown: ¿Necesitan Uds. pasaporte?

Señor Roberts: No, solamente tarjeta de turista y ya la tenemos.

Señor Brown: ¿Lleva Ud. cheques de viajero?

Señor Roberts: Sí, siempre llevo cheques de viajero, pero todavía no los tengo.

Señor Brown: ¿Llevan Uds. mucho equipaje?

Señor Roberts: No podemos llevar mucho en avión. Llevamos solamente cuatro maletas.

Señor Brown: ¿Conoce Ud. (Do you know) a algunas personas en México?

Señor Roberts: Sí, conozco al señor Mendoza; es el representante mexicano de nuestra compañía.

Señor Brown: ¿Habla Ud. bien el español?

Señor Roberts: Lo hablo un poco y lo entiendo bastante bien.

Señor Brown: Adiós pues, y feliz viaje.

Señor Roberts: Muchísimas gracias. Hasta luego.

Señor Brown: Hasta la vista.

PRÁCTICA

Complete con la expresión correcta en paréntesis

1. El señor Roberts sale para México (el año próximo, la semana próxima). 2. La familia viaja (en avión, en automóvil). 3. Necesitan (pasaporte, tarjeta de turista). 4. Lleva solamente cuatro (amigos, maletas). 5. El señor Roberts entiende el español (bastante bien, un poco).

ESTRUCTURA A

Presente de **conocer** *to know, to be acquainted with*

Conozco	al señor.
Conoces	al señor.
Conoce	al señor.
Conocemos	al señor.
Conocéis	al señor.
Conocen	al señor.

Only the first person singular (**conozco**) is irregular.

PRÁCTICA

Sustitución

1. Yo conozco la ciudad.

   _____ el parque.

   _____ el pueblo.

   _____ el país.

3. Conocemos a su hija.

   _____ a la familia.

   _____ esa escuela.

   _____ a los profesores.

2. Ud. conoce al joven.

   _____ a la muchacha.

   _____ esta revista.

   _____ a mi amigo.

4. Mis padres conocen la capital.

   _____ los mercados.

   _____ a los señores.

   _____ a la profesora.

Sustitución

1. Yo conozco a ese muchacho.

   Ud. _____.

   Mis amigos _____.

   Tú _____.

2. Ud. no conoce esta ciudad.

   Los turistas _____.

   Tú _____.

   Yo _____.

ESTRUCTURA B

Usos de **conocer** y **saber**

> ¿**Conoce** Ud. al señor Alvarado?
> **Conozco** la ciudad de San Francisco.
> **Conocer** *to know, to be acquainted with persons or places*
>
> Yo **sé** la lección, pero Enrique no la sabe todavía.
> Ellas **saben** hablar español, francés y inglés.
> **saber** *to know specific facts about something or to know how to do something*

PRÁCTICA

Complete con **sé** o **conozco**:

1. Yo sé hablar español.
   Yo conozco al señor Mendoza.
   _____ su dirección.
   _____ a sus hijos.
   _____ el número de la casa.

2. Conozco la ciudad de San José.
   _____ su país.
   _____ donde viven.
   _____ el pueblo.
   _____ donde está.

Complete con **saber** o **conocer**:

1. ¿_____ Ud. a Pedro Morales?
2. ¿_____ Ud. dónde vive?
3. Yo _____ la casa, pero no _____ el número.
4. ¿_____ Ud. a su hermano Miguel?
5. Yo _____ que tiene un hermano.
6. ¿_____ él tocar la guitarra?

ESTRUCTURA C

Pronombres
Complementos directos

	singular		plural	
masculino	lo	> *it*	los	> *them*
femenino	la		las	

Ud. entiende **el español.**   Ud. tiene **la tarjeta.**
Ud. **lo** entiende.   Ud. **la** tiene.

Yo necesito **los cheques.**   Uds. llevan **las maletas.**
Yo **los** necesito.   Uds. **las** llevan.

Direct object pronouns are placed before the conjugated verb in Spanish.

PRÁCTICA

Responda

1. ¿Entiende Ud. el español?   Sí, lo entiendo.
    ¿Tiene Ud. la tarjeta?   _____.
    ¿Necesita Ud. los cheques?   _____.
    ¿Tiene Ud. las maletas?   _____.

2. ¿Cierra Juan el libro?   Sí, lo cierra.
    ¿Cierra Juan las ventanas?   _____.
    ¿Cierra Juan la puerta?   _____.
    ¿Cierra Juan los ojos?   _____.

3. ¿Dónde está la casa?   No la veo.
    ¿Dónde están los pájaros?   _____.
    ¿Dónde está el avión?   _____.
    ¿Dónde están las sillas?   _____.

4. ¿Conocen Uds. las costumbres? Sí, las conocemos bien.
    ¿Conocen Uds. los pueblos?   _____.
    ¿Conocen Uds. la ciudad?   _____.
    ¿Conocen Uds. el país?   _____.

Nuestro viaje

En el avión

El señor Roberts—su esposa—sus hijos, Karen (17 años) y Andrew
(14 años)—la azafata (stewardess)

Señor Roberts:	(*A la azafata*) ¿Llega a tiempo el avión?
Azafata:	Sí, señor, vamos a aterrizar (*to land*) en pocos minutos.
Andrew:	¿A qué altura estamos volando?
Azafata:	En este momento estamos volando a quince mil pies.
Karen:	Miren Uds. aquellas dos montañas.
Azafata:	Son los famosos volcanes Iztaccíhuatl y Popocatépetl.
Andrew:	¡Están cubiertos de nieve!
Karen:	¡Qué magníficos son!
Azafata:	Estamos aterrizando. Hagan Uds. el favor de abrocharse el cinturón (fasten your seatbelts).

En el aeropuerto

Los señores Roberts—sus hijos Karen y Andrew—un inspector de
inmigración

Andrew:	¡Cuántos pasajeros!
Inspector:	(*Al señor Roberts*) Tenga Ud. la bondad de pasar a la oficina de inmigración con su tarjeta de turista.

Señor Roberts:	Aquí llega el equipaje.
Inspector:	Señora, tenga Ud. la bondad de abrir las maletas para la inspección.
Señora Roberts:	(*Abriendo las maletas*) Con mucho gusto.
Inspector:	¿Tienen Uds. algo que declarar?
Señora Roberts:	No, señor, llevamos solamente ropa de uso personal.
Inspector:	(*Examinando las maletas*) Está bien, señora. Ya puede cerrar las maletas.
Señor Roberts:	(*Saliendo de la oficina de inmigración*) Vamos. Todo está listo.

¿Sí o No?

1. La familia Roberts viaja por avión.   2. El avión está volando a una altura de cinco mil pies.   3. Los volcanes están cubiertos de nieve.   4. La señora Roberts abre las maletas para la inspección. 5.   Los señores Roberts llevan comida para su uso personal.   6. No tienen nada que declarar.

ESTRUCTURA A

Pronombres personales

Complementos directos

me	*me*	Carlos **me** ayuda.
te	*you* (fam.)	Ella **te** escucha.
*lo	*you, him, it* (m.)	El profesor **lo** mira.
*la	*you, her, it* (f.)	Yo no **la** veo.
nos	*us*	¿Quién **nos** llama?
os	*you* (fam.)	Ellos **os** llaman.
*los	*you, them* (m.)	El señor **los** conoce.
*las	*you, them* (f.)	La señora **las** mira.

* When the meaning seems ambiguous, the phrases **a Ud., a él, a ella,** etc. may be added after the verb.

247

Remember that direct object pronouns are placed before the conjugated verb in Spanish.

> El profesor **lo** llama **a Ud.**
> El profesor **lo** llama **a él.**
> El profesor **los** llama **a Uds.**

PRÁCTICA

Sustitución

1. Ud. mira a Conchita.   Ud. la mira.
   Ud. mira al señor.   _____.
   Ud. mira a las muchachas.   _____.
   Ud. mira a los pasajeros.   _____.

2. No veo la montaña.   _____.
   No veo a mis amigos.   _____.
   No veo al señor Mendoza.   _____.
   No veo a sus hijas.   _____.

Sustitución

1. Carlos lo invita a él.   Carlos lo invita.
   _____ a Ud. (f.)   Carlos la invita.
   _____ a mí.   _____.
   _____ a ellos.   _____.
   _____ a nosotros.   _____.
   _____ a ti.   _____.
   _____ a María Luisa.   _____.

2. Arturo los conoce a Uds.   Arturo los conoce.
   _____ a él.   _____.
   _____ a mí.   _____.
   _____ a las muchachas.   _____.
   _____ a nosotros.   _____.
   _____ a Ud. (m.)   _____.

Responda

1. ¿Encuentra Ud. a los niños? No, no los encuentro.
2. ¿Encuentra Ud. a Anita? No, _____.
3. ¿Me llamas a mí? Sí, _____.
4. ¿Me mira Ud. a mí? Sí, _____.
5. ¿Nos mira el señor? Sí, el señor _____.
6. ¿Los visitan a Uds. los amigos? Sí, los amigos _____.
7. ¿Te visita Vicente? Sí, Vicente _____.
8. ¿Invita Ud. a María? No, _____.

ESTRUCTURA B

El adjetivo **aquel**

Aquel, aquella (*that over there*) and **aquellos, aquellas** (*those over there*) are used when referring to or pointing out an object or a person some distance from the speaker or listener.

PRÁCTICA

Sustitución

1. No conozco a aquel señor.
   _____ pasajero.
   _____ hombre.
   _____ profesor.

2. Aquella muchacha es simpática.
   _____ profesora _____.
   _____ señora _____.
   _____ mujer _____.

3. Aquellos edificios son grandes.
   _____ aviones _____.
   _____ autobuses _____.
   _____ cuadros _____.

4. Aquellas señoras son de México.
   _____ mujeres _____.
   _____ personas _____.
   _____ revistas _____.

5. ¿Ve Ud. aquellos pájaros?
   ¿_____ avión?
   ¿_____ flores?
   ¿_____ casa?

6. La profesora llama a aquellos muchachos.
   _____ señorita.
   _____ alumno.
   _____ jóvenes.

249

Lección 30

La ciudad de México

La ciudad de México es una de las bellas capitales de la América Latina. Está situada en el centro de un valle fértil, rodeado de montañas altas y volcanes. Tiene un clima ideal durante todo el año por su altura de 7300 pies sobre el nivel del mar.

La capital es el corazón de la República mexicana porque es el centro del gobierno, del comercio y de la vida cultural del país. Es una gran metrópoli con unos tres millones de habitantes. Tiene hoteles modernos, restaurantes excelentes, teatros, cines y cabarets.

México es una ciudad cosmopolita y también es una ciudad de viejas tradiciones y monumentos históricos. Está construida sobre las ruinas de Tenochtitlán, antigua capital del imperio azteca. Todavía se pueden ver las grandes pirámides y ruinas de templos de las civilizaciones indias. Después de la conquista española, y durante los tres siglos (centuries) de la época colonial, fue (it was) la ciudad más importante del Nuevo Mundo.

Como todas las ciudades latinoamericanas, la ciudad de México tiene una gran plaza central. Esta plaza se llama el Zócalo.

Al norte del Zócalo está la famosa catedral de México, la más grande y la más antigua del continente norteamericano. Varios edificios públicos están en esta plaza. El Palacio Nacional, al este, es un edificio inmenso donde el Presidente de la República y otros oficiales tienen sus oficinas.

La avenida más elegante de la ciudad es el Paseo de la Reforma. Es una avenida ancha (wide) con árboles altos, flores bonitas y estatuas de los héroes nacionales. La avenida se extiende desde el centro de la ciudad hasta el Bosque de Chapultepec, parque famoso de la capital. Es la avenida favorita de los mexicanos y también de los turistas.

Preguntas basadas en la narración

1. ¿Es bella la capital de México? 2. ¿Dónde está situada? 3. ¿Cómo es el clima? 4. ¿Por qué es el corazón de la República? 5. ¿Cuántos habitantes tiene la ciudad de México? 6. ¿Cómo se llama la ciudad antigua del imperio azteca? 7. ¿Cómo se llama la gran plaza central de la ciudad de México? 8. ¿Qué edificio importante se encuentra en esta plaza? 9. ¿Qué es el Paseo de la Reforma? 10. ¿Qué es el Bosque de Chapultepec?

ESTRUCTURA A

Números 100–1,000,000

100 ciento (cien)	800 ochocientos (-as)
200 doscientos (-as)	900 novecientos (-as)
300 trescientos (-as)	1,000 mil
400 cuatrocientos (-as)	2,000 dos mil
500 quinientos (-as)	100,000 cien mil
600 seiscientos (-as)	1,000,000 un millón
700 setecientos (-as)	

cien hombres
cien señoras
cien mil (100,000)
cien millones (100,000,000)

Cien is used before all nouns and the numbers **mil** and **millones.**

doscientas muchachas
quinientas flores
setecientas sillas

The numbers 200, 300, etc. up to 900 end in **-as** when they precede a feminine noun.

This Aztec manuscript of the mid sixteenth century
shows the property records of a Mexican village.
The manuscript is made of fibers from
the maguey plant.

1,000,000 un millón.

Un is used before **millón,** but not before **mil** or **ciento.**

un millón de habitantes
dos millones de habitantes

De is used between **millón (millones)** and a noun.

Note: 3400-tres mil cuatrocientos
1970-mil novecientos setenta
Thousands are expressed before hundreds for all numerals and dates.

PRÁCTICA

Responda

1. ¿Tiene Juan doscientos discos?   No, Juan tiene trescientos discos.
2. ¿Hay trescientas niñas aquí?   No, hay cuatrocientas niñas aquí.
3. ¿Tiene el profesor cuatrocientos libros?   _____.
4. ¿Hay quinientos alumnos en la escuela?   _____.
5. ¿Aprende Ud. seiscientas palabras?   _____.
6. ¿Tiene el señor setecientos dólares?   _____.
7. ¿Hay ochocientas personas en el teatro?   _____.
8. ¿Hay novecientas sillas aquí?   _____.

Conteste

1. ¿Cuántas iglesias hay en la ciudad? (100)   Hay cien iglesias en la ciudad.
2. ¿Cuánto cuesta aquel edificio? ($100,000)   _____.

3. ¿Cuántos pies de altura tiene el monumento? (110) _____.

4. ¿Cuántas personas trabajan en esta compañía? (550) _____.

5. ¿Cuántos años hay en un siglo? (100) _____.

6. ¿Cuántos aficionados asisten a la corrida de toros? (5,000) _____.

Preguntas personales

1. ¿Cuántos habitantes hay en su ciudad? 2. ¿Tiene su ciudad viejas tradiciones? 3. ¿Son las calles de su ciudad anchas o estrechas? 4. ¿Hay casas de la época colonial en su ciudad? 5. ¿Cuántas escuelas secundarias hay en su ciudad o su pueblo? 6. ¿Cuántos alumnos asisten a su escuela? 7. ¿Cuántos años tiene Ud.? 8. ¿En qué año nació Ud.? Nací en.... 9. ¿Es su padre un hombre de negocios? 10. ¿Quiere Ud. ganar un millón de dólares?

ESTRUCTURA B

Presente de **decir** *to say, to tell*

Digo	la verdad.
Dices	la verdad.
Dice	la verdad.
Decimos	la verdad.
Decís	la verdad.
Dicen	la verdad.

PRÁCTICA

Sustitución

1. Ud. no dice nada.
   Ellos _____.
   Yo _____.
   Vosotros _____.

2. Uds. lo dicen ahora.
   Yo _____.
   Nosotros _____.
   El profesor _____.

3. Ellos dicen que la muchacha es linda.
   Mi hermano _____.
   Yo _____.
   Nosotros _____.
   Muchos _____.

4. ¿Qué dice la carta?
   ¿_____ los periódicos?
   ¿_____ tú?
   ¿_____ nosotros?
   ¿_____ los señores?

ESTRUCTURA C

Expresiones con **vez, veces** *time, times*

la primera, (segunda, etc.) vez	*the first, (second, etc.) time*
la última vez	*the last time*
otra vez	*again (another time)*
una vez	*once (one time)*
dos veces	*twice (two times)*
algunas veces	*sometimes*
muchas veces	*often (many times)*
en vez de	*instead of*
tal vez	*perhaps*

PRÁCTICA

Traduzca

1. The teacher says it once.   El profesor lo dice una vez.
2. He says it for the second time.   _____.
3. He says it often.   _____.
4. He says it again.   _____.
5. He says it sometimes.   _____.
6. He says it twice.   _____.

Conteste

1. ¿Cuántas veces al día come Ud.?   Como tres veces al día.
2. ¿Repite Ud. los ejercicios muchas veces?   _____.
256 3. ¿Habla Ud. con su amigo en vez de estudiar?   _____.

4. ¿Quiere Ud. ir al cine hoy, o tal vez mañana? _____.
5. ¿Lee Ud. algunos libros por segunda vez? _____.
6. ¿Le gusta llevar zapatos nuevos por primera vez? _____.
7. ¿Usa Ud. el teléfono muchas veces durante el día? _____.

PAJARILLO BARRANQUEÑO (*Méjico*)

Pa - ja - ril - lo, pa - ja - ril - lo _____ pa - ja -
ril - lo bar-ran-que - ño _____ ¡qué bo - ni - tos o - jos tie - nes
lás - ti - ma que ten - gan due - ño _____ Qué pa - due - ño.

II

¿Qué pajarillo es aquél
que canta en aquella torre?
Anda y dile que no cante,
que hasta en la barranca se oye.

III

¿Qué pajarillo es aquél
que canta en aquella lima?
Anda y dile que no cante,
que a mi corazón lastima.

IV

Toma esta llavita de oro,
abre mi pecho y verás
lo mucho que yo te quiero
y el mal pago que me das.

V

Toma esta cajita de oro,
mira lo que lleva dentro:
lleva amores, lleva celos
y un poco de sentimiento.

VI

¿Qué pajarillo es aquél
que canta en aquella higuera?
Anda y dile que no cante,
que espere a que yo me muera.

VII

Y con esto me despido,
con el alma entristecida;
ya te canté los dolores
y las penas de la vida.

257

Repaso 6

I. *¿Sí o No?*

1. Hay inspectores de inmigración en todos los aeropuertos internacionales.   2. Siempre es necesario tener pasaportes para visitar México.   3. El Zócalo es la gran plaza central de la ciudad de México.   4. A veces los pasajeros de un avión tienen algo que declarar.   5. Una avenida es una calle ancha.   6. Los jóvenes generalmente son aficionados a los deportes.   7. Hay una piscina en todos los parques públicos.   8. Mucha gente va a la playa en el verano.   9. El oro vale mucho.   10. Hay pocos aviones que vuelan a gran altura.

II. *Empareje (Match an appropriate rejoinder from column B for each of the items in column A.)*

A		B	
1.	Muchas veces ellos juegan	(a)	Bien gracias.
2.	Están hablando	(b)	las campanas de la iglesia
3.	Los domingos por la mañana oigo	(c)	Lo digo solamente una vez.
		(d)	por teléfono
4.	Enrique toca la guitarra	(e)	pedir permiso
5.	El avión no aterriza	(f)	y también el piano
6.	¿Cuántas veces lo dice Ud.?	(g)	toca la música
7.	Estamos volando	(h)	al fútbol
8.	Una banda	(i)	en aquel aeropuerto
9.	Tengo que	(j)	a quince mil pies
10.	¿Qué tal?		

III. *Complete cada frase con una forma de **conocer** o **saber**:*

1. Ella no _____ la dirección de mi casa.
2. Este muchacho no _____ estudiar.
3. Yo _____ a aquella señora.
4. Nosotros _____ montar a caballo.
5. Ellos _____ a aquellos hombres.
6. Yo _____ jugar al fútbol.
7. ¿A quién _____ él?
8. ¿_____ Ud. la lección?
9. ¿_____ Uds. quién es?
10. Ellas _____ bien aquella ciudad.

IV. *Cambie los verbos del singular al plural y del plural al singular:*

1. Ella sirve la comida. _____.
2. Me visto rápidamente. _____.
3. Ellos piden permiso. _____.
4. Ella se viste ahora. _____.
5. Yo pido el menú. _____.
6. Nosotros servimos ahora. _____.
7. Yo repito los ejercicios. _____.

259

8. Ellas sirven a las cinco. _____.
9. Uds. se visten temprano. _____.
10. Siempre repito las frases. _____.

V. *Frases locas*
Ordene las frases:

1. Las campanas se oyen de la iglesia.
2. Las tradiciones se conservan del país.
3. Mucho en avión podemos no llevar.
4. La república es la capital el de corazón.
5. De los mexicanos es la favorita avenida.

VI. *Escriba cada frase con un complemento directo:*

Modelos: Tú tienes la tarjeta.   Tú la tienes.
            Yo veo a María.   Yo la veo.

1. Pablo necesita el papel.
2. Ellos compran la camisa.
3. José cierra las ventanas.
4. Ella conoce a Miguel.
5. Los muchachos ven a María.
6. Nosotros sabemos las lecciones.
7. Uds. no llevan las maletas.
8. Pancho entiende el español y el francés.
9. Enrique estudia la geometría.
10. Yo busco a María y a Tomás.
11. Ella siempre dice la verdad.
12. No vemos al alumno.
13. Tenemos los discos.
14. No tienen cuadernos.
15. Felipe busca a sus hermanas.

VII. *Escriba frases completas con la forma progresiva de los verbos:*

Modelos: Escribo una carta.   Estoy escribiendo una carta.
         Ella cierra la puerta. Ella está cerrando la puerta.

1. Los niños nadan en la piscina.

2. Estudiamos para el examen.
3. Los indios cultivan la tierra.
4. Celebro mi cumpleaños.
5. ¿Quién toca la guitarra?
6. ¿Quién habla?
7. ¿Qué haces?
8. ¿Estudias la lección?
9. ¿Quiénes practican el español?
10. ¿Dónde escribes la carta?

VIII. *Repaso de los números 100–1,000,000*

Modelo: doscientos cincuenta–250

1. ciento cinco
2. quinientos veinte y tres
3. setecientos noventa y nueve
4. novecientos noventa y siete
5. dos mil
6. cuatro mil trescientos quince
7. cien mil
8. quinientos mil
9. un millón
10. diez millones

IX. *Composición dirigida   La vida hispanoamericana*
Escriba una composición de 5 líneas empleando los siguientes tópicos:

1. Las costumbres y las tradiciones.
2. La plaza principal.
3. La vida diaria.
4. Las mujeres hispanoamericanas.
5. Los domingos por la mañana y por la tarde.

Lección 31

En el hotel

Los señores Roberts, Karen, Andrew, un empleado, el mozo (porter),
la camarera (chambermaid)

Empleado:	Buenas tardes, señor. ¿En qué puedo servirle?
Señor Roberts:	Somos los señores Roberts de Texas y tenemos cuartos reservados en este hotel.
Empleado:	Un momento, por favor; vamos a ver. Sí, hay dos cuartos reservados para Uds. ¿Quieren Uds. verlos?
Señor Roberts:	¿Son cuartos con baño?
Empleado:	Sí, señor, cada cuarto tiene un baño.
Señora Roberts:	¿Dan a (Do they face) la calle?
Empleado:	Sí, los cuartos dan al Paseo de la Reforma.
Señora Roberts:	Está bien.
Empleado:	¿Es todo su equipaje (baggage)?
Señor Roberts:	Sí, es todo.
Empleado:	(*Al mozo*) Lleve Ud. las maletas a los cuartos trescientos cincuenta y trescientos cincuenta y uno.
Mozo:	Por aquí, señores, por favor.
	(*Todos suben en el ascensor.*)
Mozo:	¿Dónde pongo (do I put) las maletas, señora?
Señora Roberts:	Póngalas Ud. allí. Esto es para Ud.
	(*Dándole una propina* [*tip*].)

263

Mozo:	Muchas gracias, señora. Aquí tiene Ud. la llave del cuarto.
	(*Alguien llama a la puerta.*)
Señor Roberts:	¡Adelante!
Camarera:	Buenas tardes, señora. Aquí tienen Uds. una botella de agua.
Señora Roberts:	Tráiganos más toallas, por favor.
Camarera:	Sí, señora. Ahora las traigo.

¿Sí o No?

1. La familia Roberts es de Texas.   2. Tienen dos cuartos reservados sin baño.   3. Los cuartos dan a la calle.   4. El número del cuarto es trescientos cincuenta y ocho.   5. La familia Roberts sube en el ascensor.   6. Los cuartos están en el primer piso.   7. La señora Roberts da una propina al mozo.   8. Karen necesita más toallas.   9. La camarera trae la llave del cuarto.   10. Karen llama a la puerta.

Vocabulario

Sustituya la palabra entre paréntesis por su correspondiente antónimo de la lista de la derecha:

A		B	
1. El señor (baja) en el ascensor.		(a)	allí
2. El mozo pone las maletas (aquí).		(b)	sale de
3. El mozo (cierra) las ventanas.		(c)	recibe
4. (Nadie) llama a la puerta.		(d)	sube
5. La camarera (entra en) la sala.		(e)	ahora
6. La señora baja al salón de belleza (más tarde).		(f)	alguien
7. El mozo (da) la propina.		(g)	pocas
8. Hay (muchas) toallas en el cuarto de baño.		(h)	abre

Preguntas personales

1. ¿Tienen todos los hoteles ascensor?   2. ¿Hay una farmacia cerca de su casa?   3. ¿Llama a la puerta antes de entrar en su casa?   4. ¿Dan las ventanas de su alcoba a la calle?   5. ¿Abren Uds. la

puerta por la noche? 6. ¿Usan Uds. muchas toallas? 7. Cuando alguien llama a su puerta, ¿dice Ud. "adelante"?

ESTRUCTURA A

Presente de **dar, poner, traer**

dar *to give*

Doy	la pelota a Paco.
Das	la pelota a Paco.
Da	la pelota a Paco.
Damos	la pelota a Paco.
Dais	la pelota a Paco.
Dan	la pelota a Paco.

PRÁCTICA

Sustitución

1. Tomás da una propina al mozo.
   Yo _____.
   Los pasajeros _____.
   Nosotros _____.

2. Mi hermana da un paseo.
   Ella y yo _____.
   Tú _____.
   Mis amigos _____.

3. Tú das el libro a Pedro.
   Uds. _____.
   Yo _____.
   Ana _____.
   Nosotros _____.

4. Yo doy la maleta al mozo.
   Tú _____.
   Nosotros _____.
   Ellos _____.
   Ud. _____.

poner *to put, to place*

Pongo	las maletas aquí.
Pones	las maletas aquí.
Pone	las maletas aquí.
Ponemos	las maletas aquí.
Ponéis	las maletas aquí.
Ponen	las maletas aquí.

265

PRÁCTICA

Sustitución

Cambie el singular al plural y viceversa:

1. Ellas ponen la comida en la mesa.   Ella pone la comida en la mesa.
2. Yo pongo las frutas en el plato. _____.
3. Tú pones la ensalada aquí. _____.
4. Las muchachas ponen los vasos allí. _____.
5. Nosotros ponemos el pan en la mesa. _____.
6. Uds. ponen el postre en la mesa. _____.

Responda

1. ¿Pone Ud. las flores aquí?   Sí, las pongo aquí.
2. ¿Pone Ud. las tazas aquí? _____.
3. ¿Pone Ud. la ensalada en la mesa? _____.
4. ¿Pone Ud. la leche en la mesa? _____.
5. ¿Ponen Uds. la crema en la botella? _____.
6. ¿Ponen Uds. el pan en el plato? _____.
7. ¿Pone Ud. los vasos allí? _____.
8. ¿Pone Ud. la carne en la mesa? _____.

traer *to bring*

Traigo	los libros.
Traes	los libros.
Trae	los libros.
Traemos	los libros.
Traéis	los libros.
Traen	los libros.

PRÁCTICA

Sustitución

1. María trae el pastel de chocolate.   2. Traemos los discos nuevos.
Uds. _____.   Ramón _____.

Tú _____.   Tú _____.
Tú y yo _____.   Yo _____.
Yo _____.   Uds. _____.

ESTRUCTURA B

Imperativos de los verbos regulares

Terminaciones

(ar)   (er)   (ir)
  e   (Ud.)   a   (Ud.)   a   (Ud.)
  en   (Uds.)   an   (Uds.)   an   (Uds.)

entrar   leer   abrir
entr|e   (Ud.)   le|a   (Ud.)   abr|a   (Ud.)
entr|en (Uds.)   le|an (Uds.)   abr|an (Uds.)

PRÁCTICA

Dé el imperativo

1. Quiero pasar por aquí.   Pase Ud. por aquí.

   Quiero leer el periódico.   _____.

   Quiero ayudar a mi madre.   _____.

   Quiero comer un helado.   _____.

   Quiero contestar la pregunta.   _____.

2. Queremos bailar el tango.   Bailen Uds. el tango.

   Queremos abrir la puerta.   Abran Uds. la puerta.

   Queremos asistir a la fiesta.   _____.

   Queremos comprar dulces.   _____.

   Queremos comer con ellos.   _____.

   Queremos leer la carta.   _____.

267

ESTRUCTURA C

Imperativo de verbos que cambian el radical y de verbos irregulares

cerrar	Yo **cierro** la puerta.	**Cierre(n)** Ud.(s.) la puerta.
volver	Yo **vuelvo** a las dos.	**Vuelva(n)** Ud.(s.) a las dos.
servir	Yo **sirvo** los dulces.	**Sirva(n)** Ud.(s.) los dulces.
poner	Yo **pongo** las maletas aquí.	**Ponga(n)** Ud.(s.) las maletas aquí.
hacer	Yo **hago** el trabajo.	**Haga(n)** Ud.(s.) el trabajo.
traer	Yo **traigo** el disco.	**Traiga(n)** Ud.(s.) el disco.
tener	Yo **tengo** suerte.	**Tenga(n)** Ud.(s.) suerte.
dar	**Dé** (Ud.) la llave a Tomás.	**Den** (Uds.) la llave a Tomás.
ir	**Vaya** (Ud.) a la oficina.	**Vayan** (Uds.) a la oficina.
ser	**Sea** (Ud.) bueno.	**Sean** (Uds.) buenos.

Note that the command forms (**imperativos**) of **dar, ir** and **ser** are not formed like those of other irregular verbs. (The **yo** form of **dar, ir** and **ser** does not end in **-o.**) The accent mark on the **é** of **dé** distinguishes it from **de**, meaning *of* or *from*.

PRÁCTICA

Responda

1. ¿Pongo los papeles allí? Sí, ponga Ud. los papeles allí.
2. ¿Cierro la maleta? Sí, _____.
3. ¿Voy con el señor? _____.
4. ¿Pido la llave? _____.
5. ¿Vuelvo a las dos? _____.
6. ¿Vengo aquí? _____.
7. ¿Doy la tarjeta al señor? _____.

Dé el imperativo

1. Voy a cerrar la puerta. No, no cierre Ud. la puerta.
2. Vamos a volver tarde. No, no vuelvan Uds. tarde.
3. Voy a dormir allí. _____.
4. Vamos a servir la comida. _____.

268

5. Voy a traer los refrescos. _____.
6. Vamos a poner la mesa. _____.
7. Voy a pedir dinero. _____.
8. Vamos a ir con ella. _____.
9. Voy a decir la verdad. _____.
10. Vamos a dar un paseo. _____.
11. Vamos a salir ahora. _____.
12. Vamos a hacer el trabajo. _____.
13. Vamos a ser buenos. _____.
14. Vamos a tener suerte. _____.

Lección 32

Los mercados mexicanos

Pocos lugares son tan interesantes como un mercado mexicano. En cada pequeño pueblo de México hay un día de mercado una vez a la semana. Los mercados de algunos pueblos son conocidos por sus productos especiales; otros son famosos por los distintos artículos que producen los indios de la región.

El día de mercado es muy importante en la vida de los indios. Podemos verlos desde la mañana muy temprano llegando con sus productos y sus animales a la plaza del pueblo. Unos llevan sobre sus espaldas grandes bultos (bundles); otros llegan con sus burros cargados de (loaded with) mercancías. El indio y su familia pasan todo el día en el mercado charlando (chatting) con sus amigos y vecinos, vendiendo algunas cosas y cambiando otras.

En las ciudades grandes hay mercado todos los días. La ciudad de México tiene varios mercados buenos. El más importante es el de la Merced que se extiende por varias calles de la ciudad.

271

Podemos ver en este mercado productos de todas las regiones del país. En una sección se vende una gran variedad de frutas y legumbres. En otra parte se hallan distintas clases de carne y pescado. Hay montones de sombreros, huaraches y sarapes. Se ven petates (straw mats) y canastas de todos los tamaños, y objetos de toda clase de alfarería (pottery).

Todos los días miles de personas van de compras al mercado de la Merced. Si la señora de la casa va al mercado, la criada la acompaña con la canasta en la mano. En el mercado de la Merced como en todos los mercados mexicanos no hay precios fijos. Es costumbre regatear (to bargain).

Desde la mañana hasta la tarde el mercado mexicano es un lugar de movimiento y gran actividad. Por todas partes se oyen las voces y los gritos (shouts) de los vendedores. Los turistas que visitan un mercado mexicano no lo olvidan jamás.

¿Sí o No?

1. El mercado es un lugar pintoresco.   2. En los pueblos pequeños hay mercado todos los días.   3. Los indios llegan al mercado por la tarde.   4. La Merced es un mercado importante.   5. En la Merced se venden cosas de distintas regiones.   6. Los compradores pagan el primer precio que pide el vendedor.   7. Hay gran actividad en un mercado mexicano.

ESTRUCTURA A

Posición de los pronombres complementos directos e* indirectos con los imperativos

Afirmativo	Negativo
Tráiganos Ud. el libro.	No nos traiga el libro.
Póngalo Ud. aquí.	No lo ponga aquí.
Ábralos Ud.	No los abra.
Levántese Ud.	No se levante.

* **Y** is changed to **e** when it comes before a word beginning with **i** or **hi: libre e independiente; padre e hijo.**

Direct and indirect object pronouns as well as reflexive pronouns follow and are attached to the affirmative form of the imperative, making one word. A written accent is necessary to indicate the original stress of the verb.

These pronouns are placed before the negative imperative form.

PRÁCTICA

Sustitución

1. Compre Ud. la corbata.   Cómprela Ud.
   Abra Ud. las ventanas.   Ábralas Ud.
   Escriban Uds. el ejercicio.   —————.
   Pongan Uds. los libros aquí.   —————.
   Invite Ud. a Eduardo.   —————.
   Conteste Ud. la carta.   —————.
   Lean Uds. las frases.   —————.

2. No abran los libros.   No los abran.
   No mire la pizarra.   No la mire.
   No escriban las palabras.   —————.
   No dé el regalo al niño.   —————.
   No hagan el trabajo ahora.   —————.
   No traiga los discos hoy.   —————.

Dé el afirmativo

1. No lo haga.   Hágalo Ud.   5. No los traiga.   Tráigalos Ud.
2. No se levante. —————.   6. No se siente.   —————.
3. No la conteste. —————.   7. No lo crea.   —————.
4. No lo diga.   —————.   8. No las llamen.   —————.

Responda con el negativo

1. ¿Nos sentamos aquí?   No, no se sienten aquí.
2. ¿Los pongo allí?   No, no los ponga allí.
3. ¿La invito a la fiesta?   —————————.
4. ¿Lo hago en una hora?   —————————.

273

5. ¿Las escribimos ahora?   _____.
6. ¿Lo compramos hoy?   _____.
7. ¿Las abrimos aquí?   _____.
8. ¿La visitamos mañana?   _____.

ESTRUCTURA B

Posición de pronombres con infinitivos y gerundios

Podemos verlos.
Mucho gusto en conocerlo.
Está mirándolo.
Estamos abriéndolas.

Object pronouns generally follow and are attached to the infinitive and the present participle.
Note that when the pronoun is attached to the present participle, a written accent mark is needed to indicate the original stress of the verb.

PRÁCTICA

Responda

1. ¿Los ve Ud.?   No, no puedo verlos.
2. ¿Lo oye Ud.?   No, no puedo oírlo.
3. ¿Lo hace Ud.?   _____.
4. ¿Lo paga Ud.?   _____.
5. ¿La escribe Ud.?   _____.
6. ¿La cierra Ud.?   _____.
7. ¿Lo abre Ud.?   _____.

Sustitución

1. Inés va a comprar un vestido.   Inés va a comprarlo.
2. Luis está vendiendo libros.   Luis está vendiéndolos.

274

3. No quiero abrir la puerta. _____.
4. Están mirando los precios. _____.
5. No puedo encontrar a Pablo. _____.
6. Estoy preparando mis lecciones. _____.
7. No pueden oír las voces. _____.
8. Quiero presentar a mi amigo. _____.
9. Haga Ud. el favor de traer los libros. _____.
10. Estoy leyendo la revista. _____.

Lección 33

Un picnic en el parque

El señor Roberts, su esposa, sus hijos Karen y Andrew, los señores Mendoza, sus hijos, Dolores (18 años), José (16 años), y Carlitos (13 años)

Señor Mendoza:	Tenemos que buscar (look for) un buen sitio para nuestro picnic.
Dolores:	Miren Uds. allá. Hay una mesa con dos bancos bajo aquel árbol.
Carlitos:	Pues, vamos; yo tengo mucho apetito.

(Todos se dirigen hacia la mesa.)

Dolores:	Voy a poner la mesa (to set the table), mamá. ¿Dónde están los platos?
Señora Mendoza:	Los platos, los tenedores, los cuchillos y las cucharas están en la cesta grande.
Karen:	¿Puedo ayudarle a poner la mesa, Dolores?
Dolores:	Gracias, Karen; por favor, mamá, déle (give her) el mantel y las servilletas.
Señora Mendoza:	Aquí están, Karen.

(Le da el mantel y las servilletas, y las dos muchachas ponen la mesa. La señora Mendoza saca los sandwiches de una cesta, y los pone en un plato grande. Hay sandwiches de jamón, de queso y de atún.)

277

Carlitos:	Mamá, ¿no hay pollo frito?
Señora Mendoza:	¡Ya lo creo!
Señor Roberts:	A mí también me gusta el pollo frito.

> (*Todos se sientan a la mesa. La señora Mendoza les pasa los platos con la comida.*)

Andrew:	El pollo frito está delicioso.
Señora Mendoza:	Por favor, tome Ud. más.

> (*Ofreciéndole el plato con pollo.*)

Andrew:	Gracias, señora.
José:	¿Quién quiere limonada? Voy a traerles unas limonadas.
Señora Roberts:	No me traiga limonada; nunca la tomo.
Señora Mendoza:	Ni yo tampoco (Neither do I). Más tarde la señora Roberts y yo vamos a tomar café en el restaurante del parque.

¿Sí o No?

1. Las dos familias buscan un buen sitio para su picnic. 2. Encuentran un sitio bajo un árbol. 3. Nadie tiene mucho apetito. 4. Las muchachas van a poner la mesa. 5. Sacan el mantel y las servilletas. 6. Ponen un tenedor, un cuchillo y una cuchara para cada persona. 7. No hay pollo frito. 8. Las madres nunca toman limonada.

ESTRUCTURA A

Pronombres personales—Complementos indirectos

Pedro **me** (*to me*) habla.

Tomás **te** (*to you*) enseña el lago.

María **le** (*to you, to him, to her*) da un tenedor.

Julio **nos** (*to us*) pasa los platos.

Elena **les** (*to you, to them*) sirve la comida.

278

ESTRUCTURA B

Posición de los pronombres complementos indirectos

José **le** habla.
The indirect object pronoun is placed before a conjugated verb.

Alberto quiere hablar**le**.
The indirect object pronoun is placed after an infinitive and is attached to it.

Pablo está hablándo**le**.
The indirect object pronoun is placed after a gerund and is attached to it.

Háble**le** Ud.
The indirect object pronoun is placed after the imperative affirmative form of the verb and is attached to it.

No **le** hable.
The indirect object pronoun is placed before the negative imperative form of the verb.

Note that the position of direct and indirect object pronouns is the same.

PRÁCTICA

Sustitución

1. El señor dice la verdad. (a mí)   El señor me dice la verdad.
    (a ella)   _____.
    (a nosotros) _____.
    (a ellos)   _____.
    (a Ud.)   _____.
    (a Carlos)   _____.
    (a Uds.)   _____.

2. Eduardo quiere hablar. (a ellos)   Eduardo quiere hablarles.
    (a nosotros) _____.
    (a Ud.)   _____.

		(a ti)	_____.
		(a las muchachas)	_____.
		(a Ud. y a Juan)	_____.
		(a Dolores)	_____.

3. Ana está enseñando la casa.   (a Uds.)   Ana está enseñándoles la casa.
(a mí) _____.
(a su amiga) _____.
(a nosotros) _____.
(a ti) _____.
(a Pedro y a Luis) _____.
(a Carlos) _____.

4. Pase Ud. los papeles.   (a mí)   Páseme Ud. los papeles.
(a ellos) _____.
(a nosotros) _____.
(a él) _____.
(a ellas) _____.

5. No traiga dulces.   (a mí)   No me traiga dulces.
(a ellos) _____.
(a nosotros) _____.
(a él) _____.
(a ellas) _____.

Sustitución

Sustituya el nombre complemento indirecto por el pronombre correspondiente:

1. El señor da una propina al mozo.   El señor le da una propina.
2. Dolores habla a Karen.   _____.
3. Juan dice "feliz viaje" a sus amigos.   _____.
4. Yo pido dinero a mis padres.   _____.
5. Ud. quiere dar un regalo a María.   _____.
6. Voy a escribir una carta a Pedro.   _____.
7. El profesor está hablando a las muchachas.   _____.

8. La señora está ofreciendo más
   sandwiches a Andrés y a Carlos. _____.
9. Lea Ud. la carta a Luisa. _____.
10. Hable Ud. al profesor. _____.
11. No diga eso a los niños. _____.
12. No enseñe su papel a Ricardo. _____.
13. Andrés da el papel a Dolores. _____.
14. José da las flores a la señorita. _____.

Frases locas

Ordene las frases:

1. María trae nos el tenedor. _____.
2. Ellos traen me el cuchillo. _____.
3. Ella ofreciendo su me libro está. _____.
4. Comprar Alicia coche un me quiere. _____.
5. Queremos un regalo le dar. _____.

Lección 34

Dolores y Karen
van de compras

Señora Roberts—Karen—Dolores

Señora Roberts:	¡Cuántas cosas compraron Uds.!
Karen:	Sí, Dolores me llevó (took) a la Tienda Maya.
Señora Roberts:	¿Y qué hay en ese paquete grande?
Karen:	Son dos sarapes bonitos.
Señora Roberts:	¿Dónde los compraron Uds.?
Dolores:	Cuando salimos de la tienda vimos a un indio vendiendo estos sarapes.
Karen:	Dolores le preguntó:—¿A cómo (For how much) vende Ud. los sarapes? Él contestó:—A treinta pesos cada uno.
Dolores:	Yo le ofrecí quince, pero él dijo (he said):—Imposible, señorita, no puedo venderlos por menos de veinticinco pesos; es el último precio.
Karen:	Pero Dolores continuó regateando y por fin el indio dijo:-Por ser para Ud. señorita, le doy los dos sarapes por treinta y cinco pesos.
Señora Roberts:	¡Treinta y cinco pesos por los dos! ¡Es una ganga! (It's a bargain!)
Dolores:	¡Ya lo creo!
Señora Roberts:	¿Compraron Uds. algo más?
Karen:	No, Dolores encontró a su amigo Pepe y él nos invitó a tomar algo.

1. ¿Va Ud. de compras esta semana?   2. ¿Qué va Ud. a comprar?   3. ¿Regatea Ud. a veces, o paga Ud. siempre el primer precio que le piden?   4. ¿Hay una tienda de ropa cerca de su casa?   5. ¿Qué se vende en una tienda de ropa?

ESTRUCTURA A

Pretérito de la primera conjugación

comprar *to buy*	**entrar (en)** *to enter*
Compré (*I bought, did buy*) un sarape.	Entré (*I entered, did enter*) en la tienda.
Compraste un sarape.	Entraste en la tienda.
Compró un sarape.	Entró en la tienda.
Compramos un sarape.	Entramos en la tienda.
Comprasteis un sarape.	Entrasteis en la tienda.
Compraron un sarape.	Entraron en la tienda.

PRÁCTICA

Sustitución

1. Llamé al muchacho.
   _____ a Juan.
   _____ a Gloria.
   _____ a mi amiga.

2. Nosotros cerramos las ventanas.
   Pablo y yo _____.
   Tú y yo _____.
   Carlos y yo _____.

3. Ud. entró en la tienda.
   Juan _____.
   Ella _____.
   Ana _____.

4. Uds. olvidaron sus libros.
   Jorge y Pepe _____.
   Los muchachos _____.
   Ellos _____.

Sustitución

1. Tú compraste un sarape.
   Ella _____.
   Nosotros _____.
   Ud. _____.

2. ¿Entraron Uds. en la tienda?
   ¿_____ ella _____?
   ¿_____ tú _____?
   ¿_____ vosotros _____?

284

Responda y reemplace

1. ¿Preparó Ud. su lección? Sí, preparé mi lección. Sí, la preparé.
2. ¿Visitó Ud. el mercado? Sí, _____. Sí, _____.
3. ¿Ayudó Ud. a su padre? Sí, _____. Sí, _____.
4. ¿Compró Ud. un sarape? Sí, _____. Sí, _____.
5. ¿Encontró Ud. a su amiga? Sí, _____. Sí, _____.

Conteste

1. ¿Bajaron Uds. en el ascensor? Sí, bajamos en el ascensor.
2. ¿Entró ella en la casa? Sí, _____.
3. ¿Bajó él del coche? Sí, _____.
4. ¿Hablaron Uds. con el dependiente? Sí, _____.
5. ¿Entraron ellos en la oficina? Sí, _____.

Sustitución

1. Dolores le preguntó el precio.
   Yo _____.
   Uds. _____.
   Tú _____.
   Nosotros _____.
   Él _____.

2. Ayudé a Enrique.
   Juan y yo _____.
   Tú _____.
   Uds. _____.
   Él _____.
   Los muchachos__.

3. Pedro encontró a un amigo.
   Tú _____.
   Uds. _____.
   Yo _____.
   Nosotros _____.
   Ud. _____.

4. Lupe y yo entramos en la casa.
   Uds. _____.
   Yo _____.
   El señor _____.
   Tú _____.
   Pablo y Jorge _____.

5. Ud. bajó en el ascensor.
   Yo _____.
   Nosotros _____.
   Tú _____.
   Carlos y María _____.
   Ella _____.

6. Tú preparaste todo.
   Ellos _____.
   Yo _____.
   La señora _____.
   Miguel y yo _____.
   Uds. _____.

285

ESTRUCTURA B

Verbos que no necesitan preposiciones en español

> Escucha (*He listens to*)   la música.
> Mira   (*He looks at*)   su reloj.
> Buscan   (*They look for*) un sitio.
> Pedimos (*We ask for*)   el menú.
> Esperan (*They wait for*) el tren.

The prepositions *to, at, for* which follow some verbs in English are included in the meaning of the Spanish verb and therefore are not translated.

Note that if the direct object of these verbs is a definite person, the personal **a** is required:

> Escucha **a** María.
> Mira **al** hombre.
> Buscan **a** los niños.

If the direct object of these verbs is not a definite person, the **a** is not required.

> Escucha la música.
> Mira su reloj.
> Buscan un sitio.

PRÁCTICA

Traduzca y dé el pretérito

1. He listens to the music.   Él escucha la música. Él escuchó la música.
   He listens to the teacher. _____. _____.
   He listens to the radio.   _____. _____.
   He listens to the Indian.   _____. _____.

2. We look at the clock.   Miramos el reloj.   Miramos el reloj.
   We look at Peter.   _____.   _____.
   We look at Mr. López.   _____.   _____.
   We look at the beach.   _____.   _____.

286

3. They look for a serape.   Buscan un sarape.   Buscaron un sarape.
   They look for the Indian.   _____.   _____.
   They look for the paper.   _____.   _____.
   They look for the elevator. _____.   _____.

4. We ask for the menu.   Pedimos el menú.   Pedimos el menú.
   We ask for the address.   _____.   _____.
   We ask for the book.   _____.   _____.
   We ask for the key.   _____.   _____.

5. You are waiting for a train.   Esperas un tren.   Esperaste un tren.
   You are waiting for a bus.   _____.   _____.
   You are waiting for Charles.   _____.   _____.
   You are waiting for a meal.   _____.   _____.

El emblema y la bandera de México
representan la leyenda azteca de
la fundación de Tenochtitlán, antigua
capital del imperio azteca.

Lección 35

Tenochtitlán, antigua capital de los aztecas

En la bandera de México hay un emblema interesante; un águila sobre un nopal devorando una serpiente. Este emblema representa la leyenda azteca de la fundación de Tenochtitlán, antigua capital del imperio azteca.

Los indios aztecas, en el año 1325, llegaron a un lago en el valle de México. En una pequeña isla en el centro del lago vieron (they saw) un águila sobre un nopal con una serpiente en el pico (beak). Según (According to) un oráculo, éste era (was) el lugar donde debían (they were to) establecerse. En aquella isla construyeron su capital.

Dos siglos más tarde, cuando Cortés y sus soldados llegaron a México, encontraron una magnífica ciudad azteca, con grandes templos, palacios maravillosos y numerosos canales.

La llegada de Cortés fue una sorpresa para todos los habitantes. Los indios se asombraron (were astonished) al ver los caballos, animales que nunca habían visto (they had never seen). Algunos creyeron que los españoles eran enviados (were sent) por su dios Quetzalcoatl.*

Moctezuma, el emperador de los aztecas, recibió cordialmente a los españoles. Después de pasar algunos días en la ciudad, los espa-

---

* According to an Indian legend, **Quetzalcoatl**, an Aztec god, was exiled from his country, but he promised to return.

ñoles prendieron a Moctezuma. Los indios trataron de salvar a su emperador y lucharon para defender la ciudad. La guerra (war) entre los indios y los españoles duró (lasted) dos años y Tenochtitlán quedó totalmente destruida.

Después de la conquista, los españoles construyeron sobre las ruinas de la capital azteca una ciudad nueva, que hoy día es México.

¿Sí o No?

1. La antigua capital de los indios aztecas se llamó Tenochtitlán. 2. Según la leyenda, los aztecas encontraron una isla en el centro de un lago y allí vieron un águila con una serpiente. 3. Los aztecas construyeron la capital de su imperio en aquella isla. 4. Cortés y sus soldados llegaron a México en el año mil trescientos veinticinco. 5. Al ver a los españoles, los indios creyeron que Quetzalcoatl los mandó.

ESTRUCTURA A

Pretérito de la segunda conjugación

volver *to return*

Volví   a casa a las nueve.
Volviste a casa a las nueve.
Volvió   a casa a las nueve.
Volvimos a casa a las nueve.
Volvisteis a casa a las nueve.
Volvieron a casa a las nueve.

Pretérito de la tercera conjugación

abrir *to open*

Abrí   la puerta.
Abriste la puerta.
Abrió   la puerta.
Abrimos la puerta.
Abristeis la puerta.
Abrieron la puerta.

Pretérito de las tres conjugaciones

compré	aprendí	escribí
compraste	aprendiste	escribiste
compró	aprendió	escribió
compramos	aprendimos	escribimos
comprasteis	aprendisteis	escribisteis
compraron	aprendieron	escribieron

Note that the **-er** and **-ir** verbs have the same set of endings in the preterite tense. The **nosotros** form of **-ir** verbs is the same in the present and in the preterite (**abrimos** *we open, we opened*).

PRÁCTICA

Sustitución

1. Yo recibí un regalo.

   _____ una carta.

   _____ buenas noticias.

2. Comimos en la cafetería.

   Mi amigo y yo _____.

   Isabel y yo _____.

3. ¿Perdiste tu libro?

   ¿_____ tu pluma?

   ¿_____ tu dinero?

4. Tomás salió de aquí temprano.

   Ella _____.

   Ud. _____.

5. Los alumnos no vieron al profesor.

   Uds. _____.

   Los dos muchachos _____.

Sustitución

1. El mozo subió en el ascensor.

   Yo _____.

   Uds. _____.

   Tú _____.

   Vosotros _____.

   La familia _____.

2. Tú no respondiste nada.

   Uds. _____.

   Yo _____.

   El señor _____.

   Vosotros _____.

   Ellos _____.

291

3. Isabel no escribió la carta.

   Tú _____.

   Ellos _____.

   Yo _____.

   Nosotros _____.

   Ud. _____.

4. Ricardo volvió tarde.

   Uds. _____.

   Yo _____.

   Tú _____.

   María y yo _____.

   Ricardo y Luis ____.

Responda

1. ¿Comió Ud. mucho esta mañana?   No, _____.

2. ¿Salieron Uds. de la tienda temprano?   Sí, _____.

3. ¿Volviste a casa a las ocho?   No, _____.

4. ¿Lo vio su amigo?   Sí, _____.

5. ¿Volvimos a tiempo?   Sí, Uds. _____.

6. ¿Subieron Uds. en el ascensor?   No, _____.

7. ¿Recibí yo una carta?   Sí, tú _____.

8. ¿Decidió Ud. ir al cine?   Sí, _____.

ESTRUCTURA B

Verbos que cambian **i** > **y** en la tercera persona singular y plural del pretérito.

creer *to believe*	**oír** *to hear*	**construir** *to build*
creí	oí	construí
creíste	oíste	construiste
creyó	oyó	construyó
creímos	oímos	construimos
creísteis	oísteis	construisteis
creyeron	oyeron	construyeron

Note: The verbs **leer** (*to read*) and **caer** (*to fall*) also change like **creer**. The verb **destruir** changes like **construir**.

PRÁCTICA

Sustitución

1. Cuando yo leí eso, no lo creí.

   _____ nosotros _____.

   _____ Ud. _____.

   _____ ellos _____.

   _____ tú _____.

   _____ Uds. _____.

2. Nadie oyó el ruido.

   Tú _____.

   Nosotros _____.

   Yo _____.

   Todos _____.

   La muchacha _____.

ESTRUCTURA C

El infinitivo después de las preposiciones

> Ud. habló antes de pensar (*before thinking*).
> Ud. salió sin pagar (*without paying*).
> Ud. entró al ver (*on seeing*) a su amigo.
> Ud. mandó una carta en vez de mandar (*instead of sending*) una tarjeta.
> Ud. se levantó después de dormir (*after sleeping*) seis horas.

In Spanish, a preposition is followed by the infinitive form of the verb and not by the present participle as in English.

PRÁCTICA

Traduzca

1. He left after reading the letter.   Salió después de leer la carta.
2. He left on reading the letter.   _____.
3. He left before reading the letter.   _____.
4. He left instead of reading the letter.   _____.
5. He left without reading the letter.   _____.

293

San Juan Teotihuacán

El señor Roberts, su esposa, Karen y Andrew

Señora Roberts: ¡Qué ruinas tan impresionantes!

Señor Roberts: En este lugar los indios toltecas construyeron los templos a sus dioses.

Karen: Aquel señor que está con el grupo de turistas debe de ser un guía. Está explicando la historia de las pirámides.

Andrew: Él dijo que aquella pirámide grande es la Pirámide del Sol. Tiene más de doscientos escalones (steps). Voy a tratar de subirlos.

Señor Roberts: Se dice que es más grande que las pirámides de Egipto.

Señora Roberts: Aquella pirámide más pequeña es la Pirámide de la Luna.

Karen: Yo quiero ver aquellas ruinas y aquel templo con las esculturas de la serpiente emplumada (plumed).

Señor Roberts: Es el templo de Quetzalcoatl. ¡Qué magnífica obra de escultura!

Señora Roberts: ¡Aquí viene Andrés!

Andrew: Miren Uds. esta pequeña escultura que compré a (from) un muchacho indio. Me dijo que la halló entre las ruinas.

294

Karen:	No lo creo. Debe de ser una copia, pero no importa.
Señor Roberts:	Los indios tratan de venderlas como auténticas. Así se ganan la vida.

Se dice que la Pirámide del Sol es más grande que las pirámides de Egipto.

¿Sí o No?

1. El hombre que está explicando la historia de las pirámides debe de ser un guía. 2. La Pirámide de la Luna tiene más de doscientos escalones. 3. El templo de Quetzalcoatl tiene esculturas de la serpiente emplumada. 4. La señora Roberts compró una escultura a un muchacho indio. 5. La escultura debe de ser una copia.

ESTRUCTURA A

Pretérito de **decir** *to say, to tell*

> Dije   la verdad.
> Dijiste   la verdad.
> Dijo   la verdad.
> Dijimos la verdad.
> Dijisteis la verdad.
> Dijeron la verdad.

PRÁCTICA

Sustitución

1. Yo no dije nada.
   Él _____.
   Tú _____.

2. Tú dijiste que debe de ser un guía.
   Ella _____.
   Ellas _____.

3. Tomás dijo que lo compró.
   Ud. _____.
   La hermana _____.

4. Nosotros dijimos que no lo creímos.
   Juan y yo _____.
   Tú y yo _____.

5. Ellos dijeron que subieron a la pirámide.
   Uds. _____.
   Los turistas _____.

Responda

1. ¿Qué dijo Ud.?   No importa, no dije nada.
2. ¿Qué dijo Dolores?   _____.
3. ¿Qué dijeron Uds.?   _____.

296

4. ¿Qué dijiste tú?   _____ .
5. ¿Qué dijeron ellas?   _____ .
6. ¿Qué dijo Enrique?   _____ .

Sustitución

Cambie el presente al pretérito:

1. ¿Quién dice eso?   ¿Quién dijo eso?
2. ¿Qué le dicen Uds.?   ¿_____?
3. Digo que Carlos tomó el libro.   _____ .
4. No decimos que lo perdió.   _____ .
5. Tú no dices nada.   _____ .

ESTRUCTURA B

Tratar de + el infinitivo

Trato de estudiar más.

Tratamos de ayudar a los pobres.

Tratar (*to try*) requires the preposition **de** when followed by another verb in the infinitive form.

PRÁCTICA

Sustitución

1. Miguel trata de ser buen vecino porque es muy simpático.
    Yo _____ ver a mis amigos todos los días.
    Ud. _____comprar un regalo.
    Pablo y yo _____ trabajar en el mercado.
    Paco _____ ganar más dinero.

2. Uds. trataron de ver a sus amigos.
    El guía _____ explicarles la historia.
    Yo _____ subir los escalones.
    Nosotros _____ ir a las pirámides ayer.
    Ellos _____ comprar la escultura a un muchacho.

297

ESTRUCTURA C

Expresiones de tiempo

hoy	ayer
esta mañana	ayer por la mañana
esta tarde	ayer por la tarde
esta noche	ayer por la noche
mañana	antes de ayer

el año pasado
el mes pasado
la semana pasada

PRÁCTICA

Expresiones de tiempo

Use el verbo según (according to) la expresión de tiempo:

1. Ellos (ir) a comprarlos mañana. Ellos van a comprarlos mañana.
2. Ella (querer) comprarlos hoy. Ella quiere comprarlos hoy.
3. Tú lo (comprar) ayer por la tarde. _____.
4. Nosotros (ir) a comprarlos esta noche. _____.
5. José lo (comprar) ayer por la mañana. _____.
6. Pablo (ir) a comprarlos mañana. _____.
7. Ella lo (comprar) esta noche. _____.
8. Yo (ir) a comprarlo mañana. _____.
9. Ella y yo lo (comprar) ayer por la noche. _____.
10. Ud. me (decir) eso la semana pasada. _____.
11. Uds. me (decir) eso el mes pasado. _____.
12. Ellos (tratar) de verme ayer. _____.

298

Repaso 7

I. *Complete las frases usando la forma correspondiente del verbo:*

Modelo: Nosotros conocemos aquella ciudad.
    Mis padres conocen aquella ciudad.
    Yo conozco aquella ciudad.
    Ella conoce aquella ciudad.

1. Ella pone los platos allí.
    Tú _____.
    Uds. _____.
    Ellos _____.

2. Luis le da un regalo.
    Yo _____.
    Ellas _____.
    Nosotras _____.

3. Ellos traen el periódico.
    Enrique _____.
    Pablo y Marta _____.
    Ud. y yo _____.

4. Mi madre pone la mesa.
    Tu hermana _____.
    Nuestras hermanas ____.
    Ella y yo _____.

5. Él nos da el dinero.
    Tú _____.
    Mis padres _____.
    Miguel _____.

II. *Cambie cada frase usando la forma imperativa:*

Modelos: Yo leo la revista.   Lea Ud. la revista.
Nosotros leemos la revista. Lean Uds. la revista.

1. Nosotros volvemos a las cinco.
2. Nosotros hacemos mucho trabajo.
3. Yo sirvo la comida.
4. Yo pongo los libros en la mesa.
5. Nosotros traemos los platos.
6. Nosotros cerramos las ventanas.
7. Yo tengo mucha suerte.
8. Yo soy bueno.
9. Nosotros vamos al centro.
10. Nosotros asistimos a la escuela.

III. *Escriba el negativo de cada imperativo:*

Modelo: Ciérrela Ud.   No la cierre Ud.

1. Contéstela Ud., señor.
2. Tráigalos Ud. aquí.
3. Llámeme Ud. a las ocho.
4. Ábranlas Uds., por favor.
5. Háganlo Uds. ahora.
6. Levántense Uds., muchachos.
7. Denme Uds. los periódicos.
8. Escríbanles Uds. las cartas.
9. Invítenlo Uds.
10. Pónganlos Uds. aquí.

IV. *Escriba las frases usando los pronombres complementos indirectos:*

1. Enrique trae los discos. (a Ud.)   Enrique le trae los discos.
   Enrique trae los discos. (a mí)   _____.
   Enrique trae los discos. (a nosotros)   _____.
   Enrique trae los discos. (a ti)   _____.

2. Ellos dicen la verdad. (a ellas)   Ellos les dicen la verdad.
    Ellos dicen la verdad. (a ella)   _____.
    Ellos dicen la verdad. (a Uds.)   _____.
    Ellos dicen la verdad. (a Ud.)   _____.

3. Escriba Ud. la carta. (a mí)   Escríbame Ud. la carta.
    Escriba Ud. la carta. (a ella)   _____.
    Escriba Ud. la carta. (a nosotros) _____.
    Escriba Ud. la carta. (a Juan)   _____.

4. Ella está enseñando la lección. (a   Ella está enseñándome la
    mí)   lección.
    Ella está enseñando la lección. (a Uds). _____.
    Ella está enseñando la lección. (a los alumnos) _____.
    Ella está enseñando la lección. (a nosotros) _____.

5. No traiga los papeles. (a ella)   No le traiga los papeles.
    No traiga los papeles. (a mí)   _____.
    No traiga los papeles. (a ellos)   _____.
    No traiga los papeles. (a mi her-
    mana)   _____.

V. *Conteste las preguntas usando el pretérito:*

Modelo: ¿Quién contestó el teléfono? (Margarita)
        Margarita contestó el teléfono.

  1. ¿Escuchó Ud. la música? (Yo)

  2. ¿Quiénes miraron el reloj? (Nosotros)

  3. ¿Compraste tú el regalo? (Yo)

  4. ¿Esperaron Uds. el tren? (Nosotros)

  5. ¿Bajaste tú en el ascensor? (Yo)

  6. ¿Quiénes prepararon la comida? (Mis padres)

  7. ¿Encontró Ud. a su amigo Pedro? (Yo)

  8. ¿Entraron María y Juanita? (Ellas)

  9. ¿Ayudaron a sus padres? (Nosotros)

10. ¿Quién escuchó al profesor? (La clase)

VI. *En cada frase, cambie el tiempo del presente al pretérito:*

Modelo: Ellos oyen la música.   Ellos oyeron la música.

1. Mi padre lee el periódico. _____.
2. Angela vuelve temprano. _____.
3. Pancho y yo abrimos las ventanas. _____.
4. José compra dos camisas. _____.
5. Tú aprendes mucho. _____.

VII. *Frases locas*

Ordene las frases:

1. A la tienda Dolores llevó me.
2. Limonada no traiga me, por favor.
3. La historia está el guía explicando.
4. El frito pollo está delicioso.
5. A la mesa se todos sientan.

VIII. *Según la expresión de tiempo de la izquierda, dé la forma apropiada del verbo entre paréntesis (Use presente o pretérito):*

Modelo: Ayer por la tarde.   Yo (comprar) la revista.
         Ayer por la tarde yo **compré** la revista.

1. El año pasado.   Ellos (volver) a México.

2. Esta tarde.   Yo (ir) al cine.

3. Esta noche.   Tú (tener) que salir.

4. La semana pasada.   Mi padre (llegar) allí.

5. Antes de ayer.   Felipe me (decir) eso.

6. Ayer.   Nosotros (vender) la casa.

7. Mañana.   Él (querer) comprarlos.

8. Ayer por la noche.   Miguel y yo (leer) un periódico.

9. El mes pasado.   Roberto lo (construir).

302 10. Hoy.   Ud. y yo (tener) que visitar las pirámides.

IX. *Composición dirigida   Un picnic*
Escriba una composición de 5 líneas basada en las preguntas siguientes:

1. ¿Adónde va Ud. a ir de picnic?
2. ¿Va Ud. con su familia o con sus amigos?
3. ¿Quién pone la mesa?
4. ¿Trae Ud. muchos sandwiches en la cesta?
5. ¿Tiene Ud. mucho apetito cuando hay un picnic?

Lección 36

El Grito de Dolores

El dieciséis de septiembre es el día de la independencia mexicana. Es la fiesta nacional más importante de México.

México fue colonia de España durante trescientos años. Durante estos tres siglos los mexicanos tuvieron (had) poca libertad política. Fueron gobernados por oficiales españoles. La vida para muchos mexicanos fue muy dura.

El padre Hidalgo, un humilde cura (priest) del pueblo de Dolores, tuvo gran compasión de los indios y trató de liberar a su pueblo. A las once de la noche del quince de septiembre sonó la campana de la iglesia.

Al oír la campana todos los vecinos se reunieron frente a la iglesia y el padre Hidalgo les habló de las injusticias del gobierno español y los llamó a las armas con estas palabras:—¡Viva la Virgen de Guadalupe!* ¡Muera el mal gobierno! ¡Mueran los gachupines!**

Después de muchos combates, Hidalgo cayó prisionero y fue fusilado por los españoles. El sacrificio heroico animó a los otros mexicanos que continuaron luchando hasta obtener la independencia.

El padre Hidalgo, como Jorge Washington, es llamado el «Padre de la Patria». Cada año en el día de la independencia se repite por todo el país su famoso «Grito de Dolores»: ¡Viva la independencia! ¡Viva la libertad! ¡Viva México!

* **La Virgen de Guadalupe,** the patron saint of Mexico.
** **Gachupines,** a nickname given by Spanish Americans to natives of Spain who settled in the new world.

¿Sí o No?

1. La fiesta nacional de México se celebra en septiembre.   2. México fue colonia de España durante muchos siglos.   3. El padre Hidalgo vivió en el pueblo de Dolores.   4. Una mañana sonó la campana de su iglesia.   5. Todos los indios se reunieron frente a la iglesia.   6. El padre Hidalgo habló de las injusticias del gobierno español.   7. El cura los llamó a las armas en el nombre de la Virgen de Guadalupe.   8. Los españoles lo hicieron prisionero.   9. Más tarde fue fusilado.   10. El «Grito de Dolores» se repite el Día de la Independencia por todo el país.

Preguntas

1. ¿A qué hora suena la campana de la escuela?   2. ¿Se reúnen sus amigos frente a la escuela?   3. ¿Es dura la vida de los alumnos? 4.   ¿Qué día se celebra el día de nuestra independencia?   5. ¿Quién es el padre de nuestra patria?   6. ¿Duró muchos años la guerra de nuestra independencia?   7. ¿En qué año ganamos la independencia? 8.   ¿Cuál es el día de la independencia mexicana?   9. ¿Durante cuántos años fue México colonia de España?   10. ¿Quién fue Miguel Hidalgo?

*El sacrificio heroico
del padre Hidalgo animó
a los otros mexicanos que
continuaron luchando hasta
obtener la independencia.*

306

ESTRUCTURA A

Pretérito de **tener**	Pretérito de **estar**
Tuve que estudiar.	Estuve en casa.
Tuviste que estudiar.	Estuviste en casa.
Tuvo que estudiar.	Estuvo en casa.
Tuvimos que estudiar.	Estuvimos en casa.
Tuvisteis que estudiar.	Estuvisteis en casa.
Tuvieron que estudiar.	Estuvieron en casa.

PRÁCTICA

Sustitución

1. Yo no tuve mucho tiempo.

   Él _____.

   Nosotros _____.

2. Ud. tuvo que esperar.

   Mi amigo _____.

   Pedro y yo _____.

3. Ayer tuvimos que trabajar.

   ____ ella _____.

   ____ ellos _____.

4. Uds. tuvieron un examen hoy.

   Carlos _____.

   Tú _____.

5. Tú tuviste una sorpresa.

   Ella _____.

   Yo _____.

Responda

1. ¿Tuvo Ud. que escribirlo?   Sí, tuve que escribirlo.
2. ¿Tuvieron todos que escribirlo?   _____.
3. ¿Tuvieron Uds. que leerlo?   _____.
4. ¿Tuvo Alicia que leerlo?   _____.
5. ¿Tuviste que hacerlo?   _____.
6. ¿Tuvimos nosotros que hacerlo?   _____.

Sustitución

1. Jorge estuvo allí el año pasado.
2. Mis padres _____.
3. Yo _____.
4. Mis padres y yo _____.
5. Tú _____.
6. Vosotros _____.
7. La familia Roberts _____.

Responda

1. ¿Dónde estuvo su amigo? (en la biblioteca) Estuvo en la biblioteca.
2. ¿Dónde estuvo Ud.? (en la oficina) _____.
3. ¿Dónde estuvieron los niños? (en la calle) _____.
4. ¿Dónde estuvieron Uds.? (en casa) _____.
5. ¿Dónde estuviste? (en la cafetería) _____.
6. ¿Quién estuvo ausente ayer? (Elena) _____.
7. ¿Quién estuvo presente? (Yo) _____.
8. ¿Quiénes estuvieron allí? (Nosotros) _____.

ESTRUCTURA B

Pretérito de **ser** (*to be*)

Fui   el presidente.
Fuiste   el presidente.
Fue   el presidente.
Fuimos famosos.
Fuisteis famosos.
Fueron famosos.

Pretérito de **ir** (*to go*)

Fui   al cine ayer.
Fuiste   al cine ayer.
Fue   al cine ayer.
Fuimos al cine ayer.
Fuisteis al cine ayer.
Fueron al cine ayer.

PRÁCTICA

Sustitución

1. Alberto fue el primero en salir.
   Yo _____.
   Tú _____.

2. Ella no fue al centro.
   Ellas _____.
   Uds. _____.

308

3. Nosotros nunca fuimos buenos amigos.   4. Tú fuiste allí.

     Ellos _____.   Él _____.

     Enrique y María _____.   Yo _____.

Sustitución

Cambie el presente al pretérito:

1. Es imposible.   Fue imposible.
2. Son hombres famosos.   _____.
3. Soy presidente de la clase.   _____.
4. El país es colonia de España.   _____.
5. Somos miembros del mismo club.   _____.

Sustitución

Cambie el presente al pretérito:

1. Carmen va de compras.   Carmen fue de compras.
2. Elena y yo vamos al parque.   _____.
3. ¿Quién va al museo?   ¿_____?
4. Yo voy a casa temprano.   _____.
5. ¿Por qué no vas a la escuela?   ¿_____?
6. ¿Adónde van Uds. el domingo?   ¿_____?

Lección 37

Celebrando el Día de la Independencia

El señor Roberts, su esposa, Karen y Andrew

Señora Roberts: ¿Dónde estuvieron Uds. ayer?

Karen: Anoche estuvimos en el Zócalo con los Mendoza, celebrando el Día de la Independencia.

Señora Roberts: Pero el señor Mendoza me dijo que la fiesta se celebra hoy, dieciséis de septiembre.

Senor Roberts: Hoy hay desfiles con bandas militares, pero las celebraciones oficiales empiezan a las once de la noche del quince.

Señora Roberts: ¿Se divirtieron Uds. mucho?

Andrew: Nunca me divertí tanto.

Karen: ¡Qué multitud!

Andrew: ¡Y cuántas luces eléctricas en todos los edificios públicos!

Senor Roberts: ¿Vieron Uds. al Presidente de México?

Andrew: Sí, salió (came out) al balcón del Palacio Nacional a las once, y al final de un discurso patriótico dio el Grito de Dolores.

Karen: Y todo el mundo repitió a gritos:—¡Viva la independencia! ¡Viva la libertad! ¡Viva México!

311

Andrew:	Luego el Presidente tocó la vieja Campana de la Independencia que está encima del balcón.
Karen:	¡Qué entusiasmo y alegría!
Senor Roberts:	¿Adónde fueron Uds. después de la fiesta?
Karen:	Fuimos a un café. Nos invitaron los Mendoza.

¿Sí o No?

1. Las celebraciones del Día de la Independencia mexicana empiezan el cinco de septiembre. 2. En ese día siempre hay desfiles con bandas militares. 3. Todo el mundo se divierte mucho. 4. Karen y Andrés oyeron el discurso del Presidente. 5. Vieron la vieja Campana de la Independencia.

Preguntas personales

1. ¿Hay desfiles militares en nuestro Día de la Independencia? 2. ¿Hay muchas celebraciones patrióticas? 3. ¿Sale el Presidente al balcón de la Casa Blanca? 4. ¿Tiene nuestro país una campana famosa? 5. ¿Cómo se llama la campana?

ESTRUCTURA A

Pretérito de verbos en **-ir** que cambian el radical

divertirse *to have a good time* **repetir** *to repeat* **dormir** *to sleep*

Me	divertí	ayer.	Repetí	mucho.	Dormí	bien.
Te	divertiste	ayer.	Repetiste	mucho.	Dormiste	bien.
Se	divirtió	ayer.	Repitió	mucho.	Durmió	bien.
Nos	divertimos	ayer.	Repetimos	mucho.	Dormimos	bien.
Os	divertisteis	ayer.	Repetisteis	mucho.	Dormisteis	bien.
Se	divirtieron	ayer.	Repitieron	mucho.	Durmieron	bien.

Infinitivo	*Presente*	*Pretérito*
pensar	piensa	pensó
volver	vuelvo	volví

Verbs ending in **-ar** and **-er** which change the stem in the present tense, do not change in the preterite.

312

preferir	prefiere	prefirió
divertirse	se divierte	se divirtió
repetir	repiten	repitieron
pedir	piden	pidieron

Vowel-changing **-ir** verbs which change **e** to **ie** or **e** to **i** in the present tense, change **e** to **i** in the third person singular and plural of the preterite tense.

dormir	duerme	durmió
morir	muere	murió
dormir	duermen	durmieron
morir	mueren	murieron

Vowel-changing **-ir** verbs which change **o** to **ue** in the present tense change **o** to **u** in the third person singular and plural of the preterite tense.

PRÁCTICA

Responda

1. ¿Lo repitió Ud.?   Sí, lo repetí.

    ¿Se divirtió Ud.?   _____.

    ¿Pidió Ud. papel?   _____.

    ¿Sirvió Ud. la comida?   _____.

2. ¿Se divirtieron Uds. anoche?   Sí, nos divertimos anoche.

    ¿Repitieron Uds. el grito?   _____.

    ¿Sirvieron Uds. refrescos?   _____.

    ¿Durmieron Uds. ocho horas?   _____.

313

Sustitución

1. Pedimos el menú.

   Tú _____.

   Tú y Miguel ____.

   Ernesto _____.

   Él y yo _____.

   Yo _____.

   Ud. _____.

2. Carlos durmió en un hotel.

   Yo _____.

   Mis padres _____.

   Tú _____.

   Él y yo _____.

   Uds. _____.

   Mi hermano _____.

3. El profesor lo repitió varias veces.

   Yo _____.

   Uds. _____.

   La clase _____.

   Todos _____.

Sustitución

Cambie el presente al pretérito:

1. Prefiero el vestido azul.   Preferí el vestido azul.
2. El muchacho pide un vaso de agua.   _____.
3. Los alumnos repiten la frase.   _____.
4. Los soldados se visten rápidamente.   _____.
5. Me divierto mucho en la fiesta.   _____.
6. Duermo mucho.   _____.
7. La madre sirve el desayuno temprano. _____.
8. Todos se divierten allí.   _____.
9. Rodrigo duerme en el parque.   _____.

Preguntas personales

1. ¿Se divirtió Ud. mucho ayer? 2. ¿Pidió Ud. dinero a su padre esta mañana? 3. ¿Quién le sirvió el desayuno hoy? 4. ¿Dur-

mió Ud. ocho horas anoche?   5. ¿Repitieron Uds. la lección varias veces?

ESTRUCTURA B

Pretérito de **dar**   *to give*

Yo le di   un regalo.
Tú le diste   un regalo.
María le dio   un regalo.
Tú y yo le dimos un regalo.
Vosotros le disteis un regalo.
Juan y Ud. le dieron un regalo.

PRÁCTICA

Responda

1. ¿Dio Ud. el libro a Paco?   Sí, le di el libro.

2. ¿Le dieron sus amigos un regalo?   _____.

3. ¿Dieron Uds. los papeles al profesor? _____.

4. ¿Dio Ud. una propina al mozo?   _____.

5. ¿Te di tu papel?   _____.

Sustitución

Cambie el presente al pretérito:

1. Damos un paseo.   Dimos un paseo.

2. Doy dinero a los pobres.   _____.

3. ¿Por qué das el papel a José?   ¿_____?

4. Ud. no me da nada.   _____.

5. Isabel y yo damos una fiesta.   _____.

6. Los alumnos dan sus papeles al profesor. _____.   315

Hay desfiles con bandas celebrando el Día de la Independencia. Todo el mundo grita: ¡Viva la independencia! ¡Viva la libertad! ¡Viva México!

ESTRUCTURA C

Pretérito de **poner**   *to put*

> Puse   las flores aquí.
> Pusiste   las flores aquí.
> Puso   las flores aquí.
> Pusimos   las flores aquí.
> Pusisteis las flores aquí.
> Pusieron las flores aquí.

PRÁCTICA

Responda

1. ¿Quién puso la mesa? (Luisa)   Luisa puso la mesa.
2. ¿Qué puso Ud. en la mesa? (Los vasos)   _____.
3. ¿Dónde pusieron Uds. los regalos? (aquí)   _____.
4. ¿Qué pusiste en la pared? (una noticia)   _____.
5. ¿Dónde puse mi cuaderno? (la mesa)   _____.

Lección 38

Benito Juárez

Entre todos los héroes nacionales de México, el gran patriota Benito Juárez es el más amado (beloved). Por su vida y su carácter, muchos le llaman el «Abrahán Lincoln de México».

Benito Juárez, un indio zapoteca*, nació (was born) en un pequeño pueblo del estado de Oaxaca en 1806. Su familia era (was) pobre. Benito no pudo asistir a la escuela porque tuvo que ayudar a sus padres.

Cuando todavía era muy joven, murieron sus padres, y Benito fue a vivir con un tío. En la casa de su tío el muchacho sufrió muchas injusticias.

A los doce años fue a la ciudad de Oaxaca para ganarse la vida y entró de sirviente en casa de una familia rica. Benito no sabía ni leer

---

* **Zapoteca**, the name of an Indian tribe in Mexico.

ni escribir, ni siquiera (nor even) entendía el español. Hablaba la lengua indígena de su pueblo.

Un cura, amigo de la familia, visitaba con frecuencia la casa. El cura se interesó por el muchacho. Vio que Benito era inteligente y trabajador y empezó a enseñarle a leer y a escribir. Benito era un alumno aplicado; estudiaba mucho y leía todos los libros que el buen cura le daba.

Por fin, Juárez llegó a ser (became) abogado; más tarde fue gobernador de Oaxaca y por último Presidente de México.

En aquel tiempo Napoleón de Francia envió (sent) un ejército a México con el pretexto de cobrar unas deudas (debts). Los mexicanos resistieron con gran valor a las fuerzas francesas pero éstas triunfaron. Napoleón nombró a Maximiliano Emperador de México. Juárez pidió ayuda al Presidente Lincoln. Nuestro Presidente no pudo ayudarle con fuerzas militares a causa de la Guerra Civil en los Estados Unidos.

Juárez reorganizó el ejército mexicano y venció a las fuerzas extranjeras. Napoleón tuvo que retirar sus tropas. El Emperador Maximiliano cayó prisionero y fue fusilado por los mexicanos. Por fin, México quedó libre e independiente.

Hoy día los mexicanos celebran el cinco de mayo en honor de la batalla de Puebla, una de las primeras batallas de esta guerra contra los franceses.

¿Sí o No?

1. Benito Juárez nació en un pueblo pequeño cerca de la ciudad de Oaxaca. 2. No pudo asistir a la escuela porque murieron sus padres. 3. Fue a vivir con su tío. 4. La vida para el joven Benito fue muy dura. 5. Se ganó la vida trabajando en casa de un cura. 6. El cura le enseñó a leer y a escribir. 7. El muchacho era un alumno aplicado. 8. Con el tiempo llegó a ser abogado, y luego gobernador del estado de Oaxaca. 9. Por fin, fue elegido Presidente de la nación. 10. Un ejército francés llegó a México. 11. El Presidente Lincoln envió fuerzas americanas a ayudar a los mexicanos. 12. Los soldados mexicanos vencieron a los franceses y México quedó libre e independiente.

ESTRUCTURA A

El imperfecto

Primera conjugación
trabajar   *to work*

Yo trabajaba	en la tienda.
Tú trabajabas	en la tienda.
El profesor trabajaba	en la tienda.
Tú y yo trabajábamos	en la tienda.
Vosotros trabajabais	en la tienda.
María y Ud. trabajaban	en la tienda.

Segunda conjugación
leer   *to read*

Yo leía	el libro.
Tú leías	el libro.
Juana leía	el libro.
Tú y yo leíamos	el libro.
Tú y tus amigos leíais	el libro.
Carlos y Ud. leían	el libro.

Tercera conjugación
vivir   *to live*

Yo vivía	allí.
Tú vivías	allí.
Juan vivía	allí.
Tú y yo vivíamos	allí.
Vosotros vivíais	allí.
Los alumnos vivían	allí.

Yo le enseñaba (*was teaching*) a leer.
Ellos visitaban (*used to visit*) el pueblo.
Tú estabas (*were*) muy contento aquí.
Él leía (*read*) muchos libros.
Nosotros vivíamos (*lived, used to live*) allí.

The imperfect tense expresses an action or event that continued or happened repeatedly in past time.

Hacía (*It was*) mucho frío en la ciudad.
Él tenía (*He had, used to have*) una casa en México.
Ella tenía (*had*) los ojos azules.

The imperfect tense is generally used to describe something or someone in past time.

Expresiones que se usan con el imperfecto.

todos los días, todos los años, muchas veces, siempre *(always)*, con frecuencia *(frequently)*, mientras *(while)*.

PRÁCTICA

Sustitución

Dé el imperfecto de los verbos entre paréntesis:

1. Todos los días María (practicar) los verbos.
2. Todas las semanas él (jugar) al fútbol. ___
3. Siempre ella (estudiar) en casa.
4. Muchas veces nosotros (comer) en ese restaurante.
5. Todos los años mis padres (visitar) a mis abuelos.
6. Con frecuencia Ud. (leer) la lección.
7. Mientras mi madre (mirar) la televisión, yo (escuchar) el radio.

Sustitución

1. Carolina recibía una carta todas las semanas.
2. Yo _____.
3. Carolina y yo _____.
4. Mis amigas _____.
5. Tú _____.
6. Manuel _____.

Sustitución

Cambie el presente al imperfecto:

1. No estás contento.   No estabas contento.
2. Ud. me enseña esto.   _____.
3. Trabajamos mucho.   _____.
4. Busco la biblioteca.   _____.
5. Visitan a sus amigos.   _____.
6. Escuchas la música.   _____.
7. Le doy muchos libros.   _____.

322

Sustitución

1. Mientras Ud. dormía, sonó el teléfono.
2. _____ yo _____, sonó el teléfono.
3. _____ Ud. y yo _____, sonó el teléfono.
4. _____ tú _____, sonó el teléfono.
5. _____ Uds. _____, sonó el teléfono.
6. _____ él _____, sonó el teléfono.

Sustitución

Cambie el presente al imperfecto:

1. ¿Qué hace Ud.?   ¿Qué hacía Ud.?
2. Yo me divierto mucho.   Yo me divertía mucho.
3. Nosotros comemos en ese restaurante.   _____.
4. Tú asistes a esa escuela.   _____.
5. Siempre piden algo.   _____.
6. Nunca tengo dinero.   _____.
7. Muchas veces vuelve a casa tarde.   _____.

ESTRUCTURA B

Pretérito de **poder**

Pude   ir al centro.
Pudiste ir al centro.
Pudo   ir al centro.
Pudimos ir al centro.
Pudisteis ir al centro.
Pudieron ir al centro.

Pretérito de **hacer**

Hice   mucho ayer.
Hiciste   mucho ayer.
Hizo   mucho ayer.
Hicimos   mucho ayer.
Hicisteis mucho ayer.
Hicieron mucho ayer.

Note the change from **c** to **z** in the third person singular of **hacer.**

El Emperador Maximiliano cayó prisionero y fue fusilado por los mexicanos en 1867.

Napoleón de Francia envió un ejército a México. Los mexicanos resistieron a las fuerzas francesas pero éstas triunfaron.

PRÁCTICA

Sustitución

1. Catalina no pudo ir al cine anoche.
    Yo _____.
    Ella y yo _____.
    Tú _____.
    Uds. _____.

2. Yo no pude hacerlo esta mañana.
    Uds _____.
    Ud. y Pablo _____.
    Tú _____.
    Tú y yo _____.
    José _____.

Responda

1. ¿Hizo Ud. el trabajo?   No, no pude hacerlo.
2. ¿Hizo Tomás el trabajo?   _____.
3. ¿Hicieron Uds. el trabajo?   _____.
4. ¿Hicieron los muchachos el trabajo?   _____.
5. ¿Hiciste tú el trabajo?   _____.

Sustitución

Cambie el presente al pretérito:

1. Yo lo hago en casa.   Yo lo hice en casa.
2. Ella lo hace en casa.   _____.
3. Ellos lo hacen en casa.   _____.
4. Tú lo haces en casa.   _____.

Lección 39

Un domingo en Xochimilco*

La señora Roberts, Karen, Andrew y José Mendoza.

Karen: Buenas tardes, mamá. ¿Te gustan estas flores? José las compró para ti en Xochimilco.

Señora Roberts: ¡Qué flores tan bonitas! Gracias, José. Ud. es muy amable.

Karen: ¡Qué lugar tan pintoresco es Xochimilco, con sus jardines flotantes!

Señora Roberts: ¿Qué son jardines flotantes?

José: Son pequeñas islas separadas por canales. En estas islas la tierra es muy fértil y los indios cultivan gran variedad de flores y legumbres.

Señora Roberts: ¿Está Xochimilco lejos de la ciudad de México?

José: No, señora, está bastante cerca.

Andrew: En el camino encontramos a muchas familias mexicanas que iban (were going) a pasar el domingo en Xochimilco.

Karen: Al llegar a Xochimilco, fuimos al canal mayor. Había muchas lanchas en los canales; cada una estaba adornada con flores y llevaba (bore) el nombre de alguna muchacha, como Lupita, Rosita o Lolita.

José: A Andrés le gustó el nombre de Lolita y alquilamos la Lolita.

* The **x** in **Xochimilco** has the sound of **s**.

Karen: En algunas lanchas, familias mexicanas tomaban refrescos.

Andrew: En otras iban grupos de amigos que cantaban y tocaban la guitarra. También mujeres indias vendían comida mexicana.

Karen: Había vendedoras de flores en sus canoas.

José: Una de estas vendedoras era una muchacha muy bonita y mientras yo le compraba flores, Andrés tomó una fotografía de la muchacha.

Señora Roberts: Si la foto sale bien (comes out well), va a ser el mejor recuerdo de tu visita a Xochimilco.

¿Sí o No?

1. José compró un ramo de flores para la señora Roberts. 2. Los jóvenes acaban de llegar de Xochimilco. 3. Xochimilco está lejos de la ciudad de México. 4. Muchas familias mexicanas van a Xochimilco los domingos. 5. Al llegar al pueblo, los jóvenes fueron a un restaurante. 6. Los jóvenes vieron lanchas adornadas con flores. 7. En algunas lanchas iban grupos de amigos que tocaban la guitarra. 8. Unas mujeres indias vendían sarapes. 9. Las vendedoras vendían flores bonitas. 10. José tomó una fotografía de una bonita vendedora de flores.

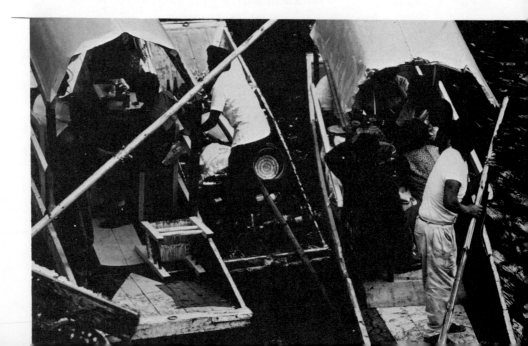

Preguntas personales

1. ¿Qué flores le gustan a su mamá? 2. ¿Compra Ud. un ramo de flores para su mamá el Día de las Madres? 3. ¿Qué hay alrededor de una isla? 4. ¿Dónde pasa su familia los domingos? 5. ¿Tiene Ud. recuerdos de algún viaje?

ESTRUCTURA A

El imperfecto de los verbos irregulares **ser, ir, ver**

ser *to be*
Yo era *I was, I used to be*

Yo era	su vecino.
Tú eras	su vecino.
Pablo era	su vecino.
Tú y yo éramos	sus vecinos.
Vosotros erais	sus vecinos.
María y Ud. eran	sus vecinos.

ir *to go*
Yo iba *I was going, I used to go, I went*

Yo iba	al parque.
Tú ibas	al parque.
María iba	al parque.
Nosotros íbamos	al parque.
Vosotros ibais	al parque.
Ellos iban	al parque.

ver *to see*
Yo veía *I was seeing, I used to see, I saw*

Yo veía	a José durante el verano.
Tú veías	a José durante el verano.
Él veía	a José durante el verano.
Tú y yo veíamos	a José durante el verano.
Vosotros veíais	a José durante el verano.
Ellos veían	a José durante el verano.

Ser, ir and **ver** are the only verbs that are irregular in the imperfect.

PRÁCTICA

Sustitución

1. Jorge era buen alumno.
2. Tú _____.
3. Nosotros _____.
4. Yo _____.
5. Ellos _____.
6. Ud. _____.

Forme una sola frase usando **pero:**

1. No son pobres.   Pero antes eran pobres.
2. No somos buenos amigos.   _____.
3. No es bonita.   _____.
4. No soy aplicado.   _____.
5. No es barato.   _____.

Sustitución

1. Mi madre iba al centro los sábados.   2. Uds. siempre iban con ella.
   Ella y yo _____.   Nosotros _____.
   Tú _____.   Alberto _____.
   Elena y María _____.   Yo _____.
   Yo _____.   Tú _____.

Sustitución

Cambie el presente al imperfecto:

1. Vamos al cine cada semana.   Íbamos al cine cada semana.
2. Siempre voy en coche.   _____.
3. ¿Vas sin tu amigo?   ¿_____?
4. Van a pasar el domingo en casa.   _____.
5. ¿Adónde va Ud.?   ¿_____?
6. Dolores y yo vamos a la tienda.   _____.
7. ¿Quién va a cantar?   ¿_____?

330

Sustitución

1. Uds. siempre los veían durante el verano.
   Tú _____.
   Mi hermano _____.
   Yo _____.
   Mi hermano y yo _____.
   Mis primos _____.

2. Ud. veía una película nueva cada semana.
   Los muchachos _____.
   Tú _____.
   Nosotros _____.
   Yo _____.
   Mi amigo _____.

ESTRUCTURA B

Usos de **había, ¿había?**

Había *There was, there were*
¿Había? *Was there, were there?*

Había mucho tráfico.   Había muchas flores en la mesa.
¿Había mucho tráfico? ¿Había muchas flores en la mesa?

PRÁCTICA

Sustitución

Cambie el presente al imperfecto:

1.	Hay un alumno en la oficina.	Había un alumno en la oficina.
2.	Hay seis personas aquí.	_____.
3.	¿Hay muchos pasajeros en el avión?	¿_____?
4.	Hay una fiesta.	_____.
5.	No hay servilletas en la mesa.	_____.
6.	¿Hay mucha gente en el parque?	¿_____?

331

ESTRUCTURA C

Pretérito e imperfecto de **gustar**

Pretérito

Me gustó el barco.	I liked the boat. The boat was pleasing to me.
Le gustaron los barcos.	He liked the boats. The boats were pleasing to him.
Nos gustó la pintura.	We liked the painting. The painting was pleasing to us.
Les gustaron las pinturas.	They liked the paintings. The paintings were pleasing to them.

> A María le gustaron las flores.
> Al muchacho le gustó el libro.
> A los muchachos les gustó la revista.

When the indirect object of **gustar** is a noun (**a María, a los muchachos**), the indirect object pronoun (**le, les**) must also be used.

PRÁCTICA

Sustitución

1. A mí me gustó viajar.
   A Uds. les gustó viajar.
   A Ud. _____.
   A mis amigos _____.
   A Luisa _____.
   A ti _____.
   A nosotros _____.
   A ellos _____.

2. A Ud. le gustaron los deportes.
   A los muchachos les gustaron los deportes.
   A mí _____.
   A los mexicanos _____.
   A Juan y a mí _____.
   A Carlos _____.
   A Uds. _____.
   A ti _____.

Imperfecto de **gustar**

> Siempre me gustaban las comidas.
> Todos los diás me gustaba estudiar.
> A María le gustaba leer.
> A nosotros nos gustaba leer también.

332

PRÁCTICA

Sustitución

1. A mí me gustaba viajar antes.
   A. Ud. le gustaba viajar antes.
   A mis amigos _____.
   A Luisa _____.
   A ti _____.
   A nosotros _____.
   A ellos _____.

2. A Ud. le gustaban los deportes.
   A mí me gustaban los deportes.
   A los muchachos _____.
   A Juan y a mí _____.
   A Carlos _____.
   A Uds. _____.
   A ti _____.

Dé el pretérito y el imperfecto

Modelo:

Presente	Pretérito	Imperfecto
Me gusta leer.	Me gustó leer.	Me gustaba leer.

1. Nos gusta estudiar.   Ayer _____. Siempre _____.
2. Le gusta el deporte.   Ayer _____. Siempre _____.
3. Me gustan las flores.   Ayer _____. Siempre _____.
4. Les gusta leer.   Ayer _____. Siempre _____.
5. Te gustan las comidas.   Ayer _____. Siempre _____.

Lección 40

El México de hoy

A la muerte de Juárez, el general Porfirio Díaz fue elegido presidente. Díaz gobernó México más de treinta años. Al principio su gobierno trajo paz y después suprimió las leyes democráticas de la Constitución.

En 1910 los mexicanos se levantaron contra el gobierno de Díaz y estalló (broke out) la revolución. Varios jefes revolucionarios trataron de apoderarse del gobierno. Después de diez años de terror y violencia vino otra vez la paz.

Hoy México es un país progresivo con un gobierno democrático. El gobierno hace cuanto es posible para desarrollar (to develop) el país y mejorar las condiciones de vida de todo el pueblo (people).

México es un país agrícola, pero también tiene muchas industrias. Hay fábricas de tejidos, de vidrio, de muebles, de tabaco, etc. También hay carreteras modernas, ferrocarriles (railroads) y líneas aéreas que cruzan el país.

En las ciudades grandes hay muchas escuelas modernas. La nueva Universidad de México es una de las más grandes y más bellas del mundo.

Las artes populares reciben cada día más atención en el país. Una importante contribución de los artistas de México es el arte mural. Unos de los mejores pintores del siglo veinte son Diego Rivera y José Orozco. En sus pinturas murales se puede ver la dramática historia de México: sus luchas por la independencia, las aspiraciones de los indios, el deseo de obtener una vida mejor para todos los mexicanos.

¿Sí o No?

1. El general Porfirio Díaz fue Presidente de México por más de treinta años.   2. Durante todos estos años el país tuvo paz y prosperidad.   3. México tiene leyes democráticas hoy.   4. México es un país agrícola y también tiene muchas industrias.   5. Miles de mexicanos trabajan en las fábricas de la nación.   6. Se puede viajar por ferrocarril de la capital a las ciudades principales del país.   7. Una importante contribución de los artistas de México es el arte mural. 8. Unos de los mejores pintores del siglo veinte son Diego Rivera y José Orozco.

ESTRUCTURA

Pretérito de **traer, venir**

El presidente **trajo** paz al país.   Ella **vino** a verme.

Traje	una revista aquí.	Vine	a tiempo.
Trajiste	una revista aquí.	Viniste	a tiempo.
Trajo	una revista aquí.	Vino	a tiempo.
Trajimos	una revista aquí.	Vinimos	a tiempo.
Trajisteis	una revista aquí.	Vinisteis	a tiempo.
Trajeron	una revista aquí.	Vinieron	a tiempo.

PRÁCTICA

Sustitución

1. Yo traje mi libro.
   _____ pluma.
   _____ cuaderno.

2. Ud. trajo la carta ayer.
   Carlos _____.
   Elena _____.

3. Tú no trajiste un vaso.
   _____ una cuchara.
   _____ una servilleta.

4. Nosotros trajimos las flores.
   Luisa y yo _____.
   Ud. y yo _____.

5. Los muchachos no trajeron nada.
   Uds. _____.
   Julia y Teresa _____.

336

Sustitución

1. Juan trajo una caja de dulces.
   Uds. _____.
   Tú _____.
   Nosotros _____.

2. Juan trajo un ramo de flores.
   Yo _____.
   Alicia _____.
   Los tíos _____.

Responda

1. ¿Trajo Ud. vasos? (tazas)   No, traje tazas.
2. ¿Trajeron Uds. leche? (café)   No, trajimos café.
3. ¿Trajo María crema? (azúcar)   No, _____.
4. ¿Trajeron ellos huevos? (tocino)   _____.
5. ¿Trajiste (tú) la mantequilla? (pan)   _____.
6. ¿Trajeron las muchachas ensalada? (postre)   _____.
7. ¿Trajo Ud. carne? (pollo)   _____.

Sustitución

1. Yo vine de México.
   _____ Monterrey.
   _____ San José.

2. Pedro vino anoche.
   Ud. _____.
   Dolores _____.

3. Tú viniste a verme.
   _____ hablarme.
   _____ buscarme.

4. Nosotros vinimos a casa tarde.
   Tú y yo _____.
   Arturo y yo _____.

5. Todos vinieron a las ocho.
   Uds. _____.
   Mis amigos _____.

Responda

1. ¿Vino Ud. de San Antonio?   No, vine de Laredo.
2. ¿Vinieron Uds. de San Antonio?   No, vinimos de Laredo.
3. ¿Vinieron sus primos de San Antonio?   _____.
4. ¿Vino su amigo de San Antonio?   _____.
5. ¿Viniste de San Antonio?   _____.

337

Preguntas personales

1. ¿Vino Ud. temprano a la escuela esta mañana?   2. ¿Trajo Ud. todos sus libros?   3. ¿Vinieron Uds. a tiempo a la clase?   4. ¿Trajeron Uds. sus cuadernos hoy?   5. ¿A qué hora vino su padre a casa ayer?   6. ¿Trajo su padre algo para Ud.?   7. ¿Vinieron sus amigos a verlo el sábado?   8. ¿Le trajeron buenas noticias?

Estudio de palabras

Some Spanish words can be identified through their indirect relation to an English word which provides the clue.

Spanish word	Related English word	English meaning
libro	library	book
cuerpo	corpse	body

PRÁCTICA

Match each Spanish word in column I with a related English word in column II and its English meaning in column III.

I		II		III	
1.	antiguo	A.	territory	(a)	to last
2.	durar	B.	embrace	(b)	sea
3.	mirar	C.	juvenile	(c)	year
4.	tierra	D.	antique	(d)	to sleep
5.	año	E.	dormitory	(e)	arm
6.	joven	F.	maritime	(f)	land
7.	mar	G.	century	(g)	hundred
8.	brazo	H.	durable	(h)	old
9.	dormir	I.	annual	(i)	young
10.	ciento	J.	mirror	(j)	to look at

Repaso 8

I. *Cambie el presente al imperfecto:*

Modelo: Yo **practico** mucho.   Yo **practicaba** mucho.

1.   Hablamos con la profesora.
2.   Uds. comen en aquel restaurante, ¿verdad?
3.   ¿Quién escribe en la pizarra?
4.   Yo siempre le doy mi papel.
5.   ¿Qué haces?
6.   El niño no puede dormir.
7.   Siempre vemos las películas.
8.   Yo soy el primero en salir de la clase.
9.   Ellas van al parque los sábados.
10.   Dolores encuentra a su amigo allí.

II. *Complete cada frase con el verbo apropiado:*

1.   ¿Dónde (tuvo, estuvo, trajo) Ud. ayer?
2.   María me (dio, dijo, hizo) una manzana.
3.   (Vendimos, Vinimos, Vimos) tarde.
4.   (Vio, Fue, Oyó) muy difícil.
5.   ¿Cuándo (compraron, fueron, pudieron) los muchachos?

III. *Conteste con frases completas:*

Modelo: ¿**Trabajabas** mucho en tu clase de español?
          Sí, (yo) **trabajaba** mucho en mi clase.

1.   ¿Hablaba Ud. español con ese señor?

339

2. ¿Estudiaban Uds. cuando entró el profesor?
3. ¿Asistían Uds. a la misma escuela?
4. Tú eras buen amigo de Elena, ¿verdad?
5. ¿Dormía Ud. cuando sonó el teléfono?
6. ¿Miraba Ud. la televisión en vez de estudiar?
7. ¿Vivían Uds. en aquella casa?
8. ¿Ibas a la playa los sábados?
9. ¿Veían Uds. las películas nuevas?
10. ¿Jugaban Uds. al béisbol aquella tarde?

IV. *Complete las frases según el modelo:*

Modelo: Yo estuve ausente ayer y Ud. _____.
Yo estuve ausente ayer y Ud. **estuvo ausente ayer.**

1. Yo no dije eso y mi amigo _____.
2. Tú viniste tarde y tus amigos _____.
3. Tú tuviste que estudiar anoche y ellos _____.
4. Ricardo puso los papeles allí y yo _____.
5. Carlota hizo el trabajo y yo _____.
6. Nosotros no pudimos ir y tú _____.
7. Pepe y yo trajimos un cuaderno y Uds. _____.
8. Yo no fui al baile anoche y Rosa _____.
9. Tú le diste un ramo de flores y yo _____.
10. Yo leí el periódico y ellas _____.

V. *Cambie el presente al pretérito:*

Modelo: Enrique **habla** español. Enrique **habló** español.

1. Dolores y Alicia están allí.
2. ¿Por qué no viene Ud. a la fiesta?
3. Ellos dicen que no pueden oír.
4. No hago la tarea porque no tengo tiempo.
5. Marta y yo vamos al centro esta tarde.
6. Nuestro padre nos da cinco dólares.
7. Ud. me trae recuerdos de mi amigo.
8. Los muchachos ponen los papeles en la mesa.
9. ¿Adónde van Uds.?

VI. *Frases locas.*

Ordene las frases:

1. Con su tío fue a vivir Benito Juárez.
2. Es un país de hoy el México progresivo.
3. ¿La campana suena de la escuela a qué hora?
4. Un día fue de alegría mucha.
5. La casa con frecuencia visitaba.

VII. *Empareje:*

A	B
1. El padre Hidalgo	(a) estalló la revolución.
2. «El Grito de Dolores»	(b) el cinco de mayo.
3. El Día de la Independencia mexicana es	(c) la dramática historia de México.
4. Benito Juárez	(d) se repite el Día de la Independencia.
5. Napoleón nombró a Maximiliano	(e) es un país progresivo.
6. Los mexicanos se levantaron contra el gobierno de Díaz y	(f) Emperador de México.
7. El México de hoy	(g) habló de las injusticias del gobierno español.
8. En las pinturas de Diego Rivera y José Orozco se puede ver	(h) líneas aéreas que cruzan el país.
9. Hoy México tiene	(i) fue elegido Presidente de México.
10. Hay carreteras modernas, ferrocarriles y	(j) leyes democráticas para mejorar la vida de todos los mexicanos.

VIII. *Composición dirigida   La Independencia de México*
Escriba una composición de 10 líneas empleando los siguientes tópicos:

1. El padre Hidalgo
2. Benito Juárez

Suplemento

ESTRUCTURA A

El futuro y el condicional de verbos regulares

Futuro	Condicional
Yo compraré (*I shall buy*) algunas cosas.	Yo compraría (*I would buy*) algunas cosas.
Ella irá (*She will go*) a México.	Ella iría (*She would go*) a México.
Nos gustará (*We shall like*) oír la música.	Nos gustaría (*We should like*) oír la música.

The future and conditional tenses of regular verbs are formed by adding the endings to the entire infinitive.

Modelos: Yo hablaré (*I shall, will speak*)
Yo hablaría (*I should, would speak*)

Note: The **r** of the infinitive forms a syllable with the ending.

Modelos: ha bla ré   ha bla rí a

Futuro		Condicional	
Yo iré	a México.	Yo iría	a México.
Tú irás	a México.	Tú irías	a México.
Felipe irá	a México.	José iría	a México.
Nosotros iremos	a México.	Nosotros iríamos	a México.
Vosotros iréis	a México.	Vosotros iríais	a México.
María y Felipe irán	a México.	Los alumnos irían	a México.

Expresiones que se usan con el futuro

mañana *tomorrow*		el domingo que viene *next Sunday*	
pasado mañana *day after tomorrow*		el verano que viene	
mañana por la mañana *tomorrow morning*		la semana que viene	
		el mes que viene	
mañana por la tarde		el año que viene	
mañana por la noche			

la próxima (*next*) semana	dentro de (*within*) una semana
el próximo mes	dentro de un mes
el próximo año	dentro de un año

PRÁCTICA

Transformación, usando el futuro

1. Yo no quiero estudiar hoy. Estudiaré mañana.
   Yo no quiero leer hoy. _____.
   Yo no quiero ir hoy. _____.

2. Juan no quiere hablar hoy. Hablará pasado mañana.
   Juan no quiere volver hoy. _____.
   Juan no quiere ir hoy. _____.

3. No podemos llegar ahora. Llegaremos mañana por la mañana.
   No podemos servir ahora. _____.
   No podemos comer ahora. _____.

4. Ellos no pueden cantar esta semana. Cantarán la semana que viene.
   Ellos no pueden asistir esta semana. _____.
   Ellos no pueden ir esta semana. _____.

5. Tú no tienes que ayudar ahora. Ayudarás dentro de una semana.
   Tú no tienes que escribir ahora. _____.
   Tú no tienes que volver ahora. _____.

343

Sustitución

1. Ud. lo esperará mañana por la noche.
   Ellos _____.
   Yo _____.
   Alberto y yo _____.
   Tú _____.
   Margarita _____.

2. Perderemos tiempo la próxima semana.
   Yo _____.
   Uds. _____.
   Mi padre _____.
   Tú _____.
   Tú y Roberto _____.

3. El señor Roberts comprará una casa el año que viene.
   Uds. _____.
   Nosotros _____.
   Tú _____.
   La familia _____.
   Yo _____.

Sustitución, usando el condicional

1. Tomás no pagaría tanto.
   Yo _____.
   Ellos _____.
   Tú _____.
   Nosotros _____.
   Ud. _____.
   Ana y yo _____.

2. Yo le ofrecería menos.
   Carlos y yo _____.
   Uds. _____.
   Mi padre _____.
   El gobierno _____.
   Tú _____.
   Tú y Jorge _____.

3. Ud. no permitiría eso.
   Mis padres _____.
   Nosotros _____.
   Yo _____.
   El gobierno _____.
   Tú _____.
   María _____.

344

ESTRUCTURA B

El futuro y el condicional de verbos irregulares

All verbs are regular in the future and conditional except the following:

GRUPO A

Infinitivo	Futuro	Condicional
poder *(to be able, can)*	podré, podrás, etc.	podría, podrías, etc.
saber *(to know)*	sabré, sabrás, etc.	sabría, sabrías, etc.
querer *(to wish, want)*	querré, querrás, etc.	querría, querrías, etc.

Note that in the future and conditional tenses, these verbs drop the **e** of the infinitive before adding the endings.

PRÁCTICA

Sustitución

Futuro	Condicional
1. Yo podré ir. Tú _____. Ella _____. Ellos _____.	2. Yo podría ir. Tú _____. Ella _____. Ellos _____.
3. Mi amigo sabrá hacerlo. Nosotros _____. Tú _____. Yo _____.	4. Mi amigo sabría hacerlo. Nosotros _____. Tú _____. Yo _____.
5. Vosotros querréis venir. Ella _____. Uds. _____. Nosotros _____.	6. Vosotros querríais venir. Ella _____. Uds. _____. Nosotros _____.

345

GRUPO B

Infinitivo	Futuro	Condicional
tener *(to have)*	tendré, tendrás, etc.	tendría, tendrías, etc.
poner *(to put, place)*	pondré, pondrás, etc	pondría, pondrías, etc.
venir *(to come)*	vendré, vendrás, etc.	vendría, vendrías, etc.
salir *(to leave, go out)*	saldré, saldrás, etc.	saldría, saldrías, etc.

Note that in these verbs the **e** of the infinitive is replaced by **d.**

PRÁCTICA

Dé el singular o el plural del futuro

1. Uds. pondrán la mesa.   Ud. pondrá la mesa.
2. Yo lo tendré esta tarde.   Nosotros lo tendremos esta tarde.
3. Ellos vendrán dentro de un mes.   _____.
4. Yo saldré pasado mañana.   _____.
5. Nosotros tendremos clase mañana.   _____.
6. Tú saldrás mañana por la mañana.   _____.
7. Ella vendrá el próximo mes.   _____.

GRUPO C

Infinitivo	Futuro	Condicional
decir *(to say, tell)*	diré, dirás, etc.	diría, dirías, etc.
hacer *(to do, make)*	haré, harás, etc.	haría, harías, etc.

PRÁCTICA

Sustitución

Dé el futuro:

1. Mañana ellos le dirán todo.   _____ ella _____.
   _____ yo _____.   _____ Uds. _____.
   _____ nosotros _____.   _____ Pablo _____.

2. Juan lo hará más tarde.   Tú _____.

Ellos _____.   Ella _____.

Nosotros _____.   Jorge y Pedro _____.

Sustitución

Cambie el presente al pretérito y el futuro al condicional:

1. Dice que ellos vendrán.   Dijo que ellos vendrían.
2. Dice que yo lo sabré.   Dijo que yo lo sabría.
3. Dice que tú lo pondrás allí.   _____.
4. Dice que Uds. querrán el libro.   _____.
5. Dice que Pablo saldrá pronto.   _____.
6. Dice que nosotros lo haremos.   _____.
7. Dice que lo tendrá mañana.   _____.
8. Dice que Alberto no dirá eso.   _____.
9. Dice que Uds. no podrán ir.   _____.

Apéndice

I NOMBRES DE PILA—GIVEN NAMES

Muchachos

Albert	Alberto	**Ferdinand**	Fernando
Alexander	Alejandro	**Francis**	Francisco
Alfred	Alfredo	**Frank**	Pancho; Paco
Alphonso	Alfonso	**Frederick (Fred)**	Federico
Andrew	Andrés	**Gabriel**	Gabriel
Anthony	Antonio	**George**	Jorge
Arthur	Arturo	**Gerard**	Gerardo
Augustine	Agustín	**Gilbert**	Gilberto
Benjamin	Benjamín	**Gregory**	Gregorio
Bernard	Bernardo	**Guy**	Guido
Cecil	Cecilio	**Henry (Harry)**	Enrique
Charles	Carlos	**Herbert**	Heriberto; Heberto
Christopher	Cristóbal	**Hugh**	Hugo
Claude	Claudio	**James**	Jaime; Diego
Conrad	Conrado	**Jerome (Jerry)**	Jerónimo
Daniel	Daniel	**Joe**	Pepe
David	David	**John**	Juan
Edward	Eduardo	**Joseph**	José
Ernest	Ernesto	**Julius (Jules)**	Julio
Eugene	Eugenio	**Lawrence**	Lorenzo

348

Leon (Leo)	León	**Raymond**	Ramón
Leonard	Leonardo	**Richard**	Ricardo
Louis	Luis	**Robert**	Roberto
Manuel	Manuel	**Roderick**	Rodrigo
Mark	Marco	**Roger**	Rogerio
Martin	Martín	**Roland**	Rolando
Matthew	Mateo	**Ronald**	Renaldo
Michael (Mike)	Miguel	**Ruben**	Rubén
Nicholas (Nick)	Nicolás	**Samuel (Sam)**	Samuel
Oliver	Oliverio	**Stephen (Steve)**	Esteban
Oscar	Oscar	**Theodore (Ted)**	Teodoro
Patrick (Pat)	Patricio	**Thomas (Tom)**	Tomás
Paul	Pablo	**Victor**	Victor
Peter	Pedro	**Vincent**	Vicente
Philip	Felipe	**Walter**	Gualterio
Ralph	Rafael	**William**	Guillermo

Muchachas

Adele	Adela	**Elsie**	Elisa
Agnes	Inés	**Emily**	Emilia
Alberta	Alberta	**Estelle**	Estela
Alice	Alicia	**Esther**	Ester
Ann(e)	Ana	**Eve**	Eva
Barbara	Bárbara	**Fanny**	Paca; Panchita
Beatrice	Beatriz	**Florence**	Florencia
Bertha	Berta	**Frances**	Francisca
Betty	Chavela; Belita	**Gertrude**	Gertrudis
Carmen	Carmen	**Gloria**	Gloria
Caroline	Carolina	**Grace**	Engracia; Graciela
Catherine	Catalina	**Hannah**	Ana
Cecile	Cecilia	**Harriet**	Enriqueta
Charlotte	Carlota	**Helen**	Elena
Dolores	Dolores	**Irene**	Irene
Dorothy	Dorotea	**Isabel**	Isabel
Eleanor	Leonor	**Jane**	Juana
Elizabeth	Isabel	**Josephine**	Josefa; Josefina
Ellen	Elena	**Julia**	Julia

349

Kate	Catalina	**Pearl**	Perla
Laura	Laura	**Peggy**	Margarita
Louise	Luisa	**Rosalie**	Rosalía
Lucy	Lucía	**Rose**	Rosa
Magdalene	Magdalena	**Sarah**	Sara
Margaret	Margarita	**Sophy**	Sofía
Martha	Marta	**Susan**	Susana
Mary (Marie)	María	**Theresa**	Teresa
Mathilda	Matilde	**Violet**	Violeta
Molly	Maruja; Mariucha	**Virginia**	Virginia
Pat	Patricia		

II PRONUNCIACIÓN

A. Vocales

In Spanish each of the five vowels has only one sound, pronounced in a short, clipped manner. (In the practice exercises which follow repeat the examples after your teacher. Be sure to stress the syllable in italics.)

a

Ejemplos: *A*-na *plan*-ta *San*-ta *Cla*-ra

Práctica

1. *fa*-ma	4. es-*tá*	7. al-*tar*
2. *ma*-pa	5. plan	8. ca-*nal*
3. *dra*-ma	6. ba-*na*-na	9. fa-*tal*

e

Ejemplos. *pe*-so *par*-te e-le-*fan*-te *ne*-gro

Práctica

1. me	4. Te-*re*-sa	7. ca-*fé*
2. *ba*-se	5. me-*tal*	8. e-*ter*-no
3. se-*cre*-to	6. a-*mén*	9. Sa-cra-*men*-to

i

Ejemplos: sí ar-*tis*-ta a-ni-*mal* sis-*te*-ma

Práctica

1. *ti*-gre	4. me-di-*ci*-na	7. ca-pi-*tal*
2. *ri*-fle	5. i-*de*-a	8. cri-mi-*nal*
3. di-*plo*-ma	6. di-rec-*tor*	9. di-fe-*ren*-te

o

Ejemplos: no a-*mi*-go co-*lor* fa-*mo*-so

Práctica

1. *pron*-to	4. a-*ro*-ma	7. *no*-ble
2. ro-*de*-o	5. *ó*-pe-ra	8. lo-*cal*
3. so-*pra*-no	6. ac-*tor*	9. con-ti-*nen*-te

u

Ejemplos: *mu*-la *u*-no Ar-*tu*-ro plu-*ral*

Práctica

1. *rum*-ba
2. *mú*-si-ca
3. bru-*tal*

4. po-pu-*lar*
5. per-*fu*-me
6. *Cu*-ba

7. ru-*mor*
8. sin-gu-*lar*
9. club

B. Consonantes

Spanish consonants are not so strongly pronounced as English consonants. They are pronounced more forward in the mouth with the tongue close to the upper teeth and gums. Many Spanish consonants do not cause trouble for English-speaking people. However, some sounds are very different and need special attention.

h is always silent in Spanish.

Ejemplos: *has*-ta ho-*tel* hos-pi-*tal* hin-*dú*

Práctica

1. ho-*nor*
2. hu-*mor*

3. hu-*ma*-no
4. Ha-*ba*-na

5. ha-bi-*tan*-te
6. *hé*-ro-e

ñ

Ejemplos: se-*ñor* ma-*ña*-na es-pa-*ñol* ca-*ñón*

Práctica

1. se-ño-*ri*-ta
2. Es-*pa*-ña

3. se-*ño*-ra
4. com-pa-*ñe*-ro

5. mon-*ta*-ña
6. ca-*ña*

ch

Ejemplos: *mu*-cho cho-co-*la*-te *no*-che *chi*-co

Práctica

1. *Chi*-le
2. *ran*-cho
3. *mar*-cha

4. *Chi*-na
5. *chó*-fer
6. chi-me-*ne*-a

7. cham-*pú*
8. *Pan*-cho
9. *chi*-cle

352

c before **e** or **i** has a soft *s* sound. (In most parts of Spain it is pronounced with a *th* sound which is Castilian pronunciation.)

Ejemplos: cen-*tral* na-*ción* cen-*ta*-vo *gra*-cias

Práctica

1.	ce-re-*al*	4.	*ce*-ro	7.	ci-*vil*
2.	pro-*du*-ce	5.	me-di-*ci*-na	8.	*cen*-tro
3.	ce-le-bra-*ción*	6.	na-cio-*nal*	9.	prin-ci-*pal*

c before any other letter has a *k* sound, but without a following puff of air.

Ejemplos: ca-pi-*tal* *có*-mo cul-*tu*-ra ac-*tor*

Práctica

1.	*có*-mi-co	4.	doc-*tor*	7.	con-ti-*nen*-te
2.	ro-*mán*-ti-co	5.	ca-*fé*	8.	cru-*el*
3.	*cla*-se	6.	*Cu*-ba	9.	*A*-fri-ca

z has the same sound as **c** before **e** or **i**.
Ejemplos: ac-*triz* voz *ze*-bra fe-*roz*

Práctica

1.	*zo*-na	3.	*pla*-za	5.	*lá*-piz
2.	cruz	4.	ba-*zar*	6.	Ve-ne-*zue*-la

j is a rough "*h*." However, the tongue is higher in the mouth and tenser than in English so more friction is produced.
Ejemplos: Jo-*sé* Ja-*pón* *jus*-to *Jua*-na

Práctica

1.	Juan	3.	jo-*vial*	5.	San Jo-*sé*
2.	*Ju*-lia	4.	jus-*ti*-cia	6.	ji-*ra*-fa

ll appears often in Spanish words and is considered as one letter. **ll** and **y** represent the same sound. (In most parts of Spain where Castilian pronunciation is used it sounds as if it were **lli**.)
Ejemplos: mi-*llón* ba-*ta*-lla me *lla*-mo ca-*me*-llo

1. me-*da*-lla   3. bri-*llan*-te   5. flo-*ti*-lla
2. *mi*-lla   4. man-*ti*-lla   6. chin-*chi*-lla

g before **e** or **i** is pronounced the same as the Spanish **j**.
Ejemplos: ge-ne-*ral*   *án*-gel   o-ri-gi-*nal*   re-li-*gión*

Práctica

1. *ál*-ge-bra   3. in-te-li-*gen*-te   5. ge-ne-ral-*men*-te
2. ge-ne-*ro*-so   4. re-*gión*   6. Ar-gen-*ti*-na

g in all other combinations is a hard **g**, an explosive sound.
Ejemplos: ga-so-*li*-na   a-*mi*-go   sin-gu-*lar*   *gran*-de
The fricative **g** is pronounced in a more relaxed manner with the back
of the tongue partly raised toward the soft palate.
Ejemplos: *pa*-ga   a-*gu*-do   *pa*-gue   se-*guir*

Práctica

1. le-*gal*   3. *ne*-gro   5. e-le-*gan*-te
2. pro-pa-*gan*-da   4. *tan*-go   6. con-*gre*-so

n is pronounced with the tip of the tongue touching the ridge of the
gums behind the upper teeth. When followed by **b**, **v**, **m**, or **p** it is
pronounced more like **m**.
Ejemplos: un *bar*-co   un *va*-so   un *ma*-pa   un *pa*-dre

Práctica

1. un *pe*-rro   3. un pe-*rió*-di-co   5. un *pue*-blo
2. un bo-rra-*dor*   4. un ve-*ci*-no   6. un *mo*-zo

q is always followed by **u** and is found only in the combinations **que**
and **qui**. It has the same sound as **c** before **a**, **o**, **u** or consonants.
Ejemplos: pe-*que*-ño   *du*-que   mos-*qui*-to   *li*-qui-do

Práctica

1. a-*ta*-que   3. Tur-*qui*-a   5. *che*-que
2. con-quis-ta-*dor*   4. *par*-que   6. or-*ques*-ta

r when not at the beginning of a word is pronounced with a flap of the tongue.

Ejemplos: e-*nor*-me po-pu-*lar* plu-*ral* Ma-*rí*-a

Práctica

1.	*gran*-de	3.	*cir*-co	5.	ge-ne-*ral*
2.	a-*ro*-ma	4.	per-*so*-na	6.	*par*-te

r at the beginning of a word and the **rr** are trilled. The **rr** in Spanish is inseparable.

Ejemplos: ro-*de*-o *ra*-ta *pe*-rro te-*rror*

Práctica

1.	*bu*-rro	4.	*ca*-rro	7.	te-*rri*-ble
2.	e-*rror*	5.	te-rri-*to*-rio	8.	co-*rrec*-to
3.	*rum*-ba	6.	*ran*-cho	9.	*ra*-ro

s is generally a soft sound pronounced with the tongue touching the roof of the mouth and the back of the upper front teeth.

Ejemplos: *ro*-sa es-*tá* a-*diós* *has*-ta

Práctica

1.	Jo-*sé*	4.	pre-si-*den*-te	7.	*mú*-si-co
2.	es	5.	ar-*tis*-ta	8.	de-*sier*-to
3.	se-*ñor*	6.	pro-fe-*sor*	9.	*dí*-as

b and **v** have the same sound in Spanish. The **b** or **v** at the beginning of a group of words, or after **m** or **n**, is pronounced with lips pressed less tightly together than in English.

Ejemplos: *buenos* días tam-*bién* *Venga* aquí in-ven-*tor*

Práctica

1.	vio-*lín*	4.	bru-*tal*	7.	*bu*-rro
2.	*ba*-se	5.	in-va-*sión*	8.	som-*bre*-ro
3.	*rum*-ba	6.	in-vi-ta-*ción*	9.	vi-*tal*

b or **v** in any other position is pronounced with the lips barely touching each other.

Ejemplos: muy *bien* Ro-*ber*-to no *voy* ri-*val*

Práctica

1. a-*do*-be	4. no-*ve*-la	7. im-po-*si*-ble
2. re-*vól*-ver	5. ta-*ba*-co	8. e-vi-*den*-te
3. na-*val*	6. a-via-*dor*	9. *bra*-vo

d at the beginning of a word, or after **l** or **n,** is pronounced with the tip of the tongue touching the back of the upper front teeth.
Ejemplos: *di*-a de-*sier*-to *in*-dio Ar-*nol*-do

Práctica

1. doc-*tor*	4. de-li-*cio*-so	7. *dón*-de
2. di-rec-*tor*	5. di-*plo*-ma	8. in-de-pen-*den*-cia
3. den-*tis*-ta	6. *dra*-ma	9. Ro-*lan*-do

d in most other positions is pronounced softly. It is similar to a **th** sound but it is shorter, with the tip of the tongue just touching the edge of the upper front teeth.
Ejemplos: ro-*de*-o im-por-*ta*-do *pa*-dre us-*ted*

Práctica

1. dic-ta-*dor*	3. pro-*duc*-to	5. Ma-*drid*
2. a-*diós*	4. *rá*-pi-do	6. u-ni-ver-si-*dad*

C. Diptongos

A diphthong is a combination of a strong vowel (**a, e, o**) and a weak vowel (**i, u**), or two weak vowels in one syllable.

Pronunciación de los diptongos

The strong vowel (**a, e, o**) within the diphthong is emphasized; the second of the two weak vowels is emphasized.

1. Diphthongs begining with **i**
ia	fa-*mi*-lia, *pia*-no, *gra*-cias
ie	bien, *tie*-ne, *fies*-ta
io	*ra*-dio, *in*-dio, vio-*lín*
iu	ciu-*dad*, *triun*-fo

2. Diphthongs beginning with **u**

ua	Juan, cuál, *a*-gua
ue	*pue*-blo, es-*cue*-la, *bue*-no
uo	*cuo*-ta, an-*ti*-guo, in-di-*vi*-duo
ui	Luis, *Sui*-za, *rui*-na

Note that **que** and **qui** have the same sound as **c** before **a, o, u** and consonants. **Gue** and **gui** use the fricative **g** rather than the Spanish **j** sound of **g** before **e** or **i**.

3. Diphthongs ending in **i** or **y**

ai(ay)	*ai*-re, *Jai*-me, hay
ei(ey)	seis, de-*lei*-te, Mon-te-*rrey*
oi(oy)	he-*roi*-co, ce-lu-*loi*-de, hoy

Y meaning *and* is pronounced like the Spanish vowel *i*.

4. Diphthongs ending in **u**

au	au-*sen*-te, *cau*-sa, *gau*-cho
eu	Eu-*ro*-pa, reu-*nión*, neu-*tral*

Vocales que no forman diptongos

1. The strong vowels **a, e, o** never combine to form a diphthong. Each must be pronounced separately.
Ejemplos: le-*ón*   ma-*es*-tro   *hé*-ro-e   ro-*de*-o

Práctica

1. Do-ro-*te*-a	3. ca-*no*-a	5. i-*de*-a
2. po-*e*-ta	4. a-e-ro-*pla*-no	6. mu-*se*-o

2. When accented **í** or **ú** combine with one of the strong vowels, each is pronounced separately.
Ejemplos: *dí*-a   *rí*-o   pa-*ís*   Ma-*rí*-a   re-*ú*-ne

Práctica

1. ma-*íz*	3. con-ti-*nú*-a	5. pa-ra-*í*-so
2. Ra-*úl*	4. he-ro-*ís*-mo	6. cor-te-*sí*-a

357

D. División de las sílabas

1. A single consonant between two vowels goes with the following vowel.
Ejemplos: *có*-mi-co   fa-vo-*ri*-to   o-fi-*ci*-na

Práctica

Divide the following words into syllables:

1.	aroma	3.	música	5.	Ana
2.	medicina	4.	teléfono	6.	Felipe

2. Two consonants coming together are generally separated.
Ejemplos: doc-*tor*   *dón*-de   *tin*-ta   Ro-*ber*-to
If the second of two consonants is **r** or **l**, the consonants generally are not separated: *pa*-dre, *li*-bro, po-*si*-ble

E. Como se acentúan las palabras españolas

1. Words that end in a vowel or the consonants **n** or **s** are stressed on the next to the last syllable.
Ejemplos: *gran*-de   a-*lum*-no   *or*-den   al-*gu*-nos

Práctica

Divide the following words into syllables and underline the syllable that is stressed:

1.	caballo	4.	usan	7.	pasan
2.	actores	5.	grande	8.	tardes
3.	muchacha	6.	flores	9.	origen

2. Words ending in any consonant except **n** or **s** are stressed on the last syllable.
Ejemplos: se-*ñor*   es-pa-*ñol*   ac-*tor*   li-ber-*tad*

Práctica

Divide the following words into syllables and underline the syllable that is stressed:

1.	profesor	3.	metal	5.	dictador
2.	usted	4.	original	6.	universidad

358

3. Words not stressed according to the two rules given above always have an accent mark indicating the syllable to be stressed.

Ejemplos: es-*tá* na-*ción* in-*glés* *lá*-piz

Práctica

Divide the following words into syllables and underline the syllable that is stressed.

1. limón
2. Andrés
3. cómico
4. champú
5. álgebra
6. café

El alfabeto

a	a	j	jota	r	ere
b	be	k	ka	rr	erre
c	ce	l	ele	s	ese
ch	che	ll	elle	t	te
d	de	m	eme	u	u
e	e	n	ene	v	ve
f	efe	ñ	eñe	w	doble ve
g	ge	o	o	x	equis
h	hache	p	pe	y	i griega
i	i	q	cu	z	zeta

III VERBOS

A. Verbos Regulares

Infinitivo

hablar, to speak   **vender,** to sell   **vivir,** to live

Gerundio

habl-ando, speaking   vend-iendo, selling   viv-iendo, living

Participio Pasado

habl-ado, spoken   vend-ido, sold   viv-ido, lived

359

Presente

I speak, am speaking, do speak, etc.	I sell, am selling, do sell, etc.	I live, am living, do live, etc.
habl-o	vend-o	viv-o
habl-as	vend-es	viv-es
habl-a	vend-e	viv-e
habl-amos	vend-emos	viv-imos
habl-áis	vend-éis	viv-ís
habl-an	vend-en	viv-en

Imperfecto

I was speaking, used to speak, spoke, etc.	I was selling, used to sell, sold, etc.	I was living, used to live, lived, etc.
habl-aba	vend-ía	viv-ía
habl-abas	vend-ías	viv-ías
habl-aba	vend-ía	viv-ía
habl-ábamos	vend-íamos	viv-íamos
habl-abais	vend-íais	viv-íais
habl-aban	vend-ían	viv-ían

Pretérito

I spoke, did speak, etc.	I sold, did sell, etc.	I lived, did live, etc.
habl-é	vend-í	viv-í
habl-aste	vend-iste	viv-iste
habl-ó	vend-ió	viv-ió
habl-amos	vend-imos	viv-imos
habl-asteis	vend-isteis	viv-isteis
habl-aron	vend-ieron	viv-ieron

Futuro

I shall (will) speak, etc.	I shall (will) sell, etc.	I shall (will) live, etc.
hablar-é	vender-é	vivir-é
hablar-ás	vender-ás	vivir-ás
hablar-á	vender-á	vivir-á
hablar-emos	vender-emos	vivir-emos
hablar-éis	vender-éis	vivir-éis
hablar-án	vender-án	vivir-án

Condicional

I would (should) speak, etc.	*I would (should) sell*, etc.	*I would (should) live*, etc.
hablar-ía	vender-ía	vivir-ía
hablar-ías	vender-ías	vivir-ías
hablar-ía	vender-ía	vivir-ía
hablar-íamos	vender-íamos	vivir-íamos
hablar-íais	vender-íais	vivir-íais
hablar-ían	vender-ían	vivir-ían

Presente Perfecto

I have spoken, etc.	*I have sold*, etc.	*I have lived*, etc.
he habl-ado	he vend-ido	he viv-ido
has habl-ado	has vend-ido	has viv-ido
ha habl-ado	ha vend-ido	ha viv-ido
hemos habl-ado	hemos vend-ido	hemos viv-ido
habéis habl-ado	habéis vend-ido	habéis viv-ido
han habl-ado	han vend-ido	han viv-ido

Pluscuamperfecto

I had spoken, etc.	*I had sold*, etc.	*I had lived*, etc.
había habl-ado	había vend-ido	había viv-ido
habías habl-ado	habías vend-ido	habías viv-ido
había habl-ado	había vend-ido	había viv-ido
habíamos habl-ado	habíamos vend-ido	habíamos viv-ido
habíais habl-ado	habíais vend-ido	habíais viv-ido
habían habl-ado	habían vend-ido	habían viv-ido

Modo imperativo

Speak	*Sell*	*Live*
habl-e Ud.	vend-a Ud.	viv-a Ud.
habl-en Uds.	vend-an Uds.	viv-an Uds.

B. Verbos con cambio de radical

In each of the vowel-changing verbs given below only the tenses which have irregular forms are included. The irregular forms are indicated in boldface type.

pensar (ie), *to think*
present: **pienso, piensas, piensa**, pensamos, pensáis, **piensan**
commands: **piense** Ud., **piensen** Uds.

like **pensar**: cerrar, *to close;* comenzar,[1] *to begin;* empezar,[1] *to begin;* nevar, *to snow;* sentarse, *to sit down*

perder (ie), *to lose*
present: **pierdo, pierdes, pierde**, perdemos, perdéis, **pierden**
commands: **pierda** Ud., **pierdan** Uds.

Like **perder**: defender, *to defend;* entender, *to understand*

contar (ue), *to count*
present: **cuento, cuentas, cuenta**, contamos, contáis, **cuentan**
commands: **cuente** Ud., **cuenten** Uds.

Like **contar**: acostarse, *to go to bed, to lie down;* almorzar,[1] *to eat lunch;* costar, *to cost;* encontrar, *to meet, to find;* jugar,[2] *to play (u* changes to *ue);* mostrar, *to show;* recordar, *to remember;* volar, *to fly*

volver (ue), *to return*
present: **vuelvo, vuelves, vuelve**, volvemos, volvéis, **vuelven**
commands: **vuelva** Ud., **vuelvan** Uds.

Like **volver**: llover, *to rain;* mover, *to move*

sentir (ie ,i), *to feel sorry*
present participle: **sintiendo**
present: **siento, sientes, siente**, sentimos, sentís, **sienten**
preterite: sentí, sentiste, **sintió**, sentimos, sentisteis, **sintieron**
commands: **sienta** Ud., **sientan** Uds.

Like **sentir**: divertirse, *to enjoy oneself;* preferir, *to prefer*

---

[1] The letter *z* changes to *c* before an *e*. This change occurs in the command (empiece Ud., almuerce Ud.) and in the *yo* form of the preterite (empecé, almorcé).

[2] The letter *g* is followed by *u* before an *e*. This change occurs in the command (juegue Ud.) and in the *yo* form of the preterite (jugué).

dormir (ue, u), *to sleep*
>   present participle: **durmiendo**
>   present: **duermo, duermes, duerme,** dormimos, dormís, **duermen**
>   preterite: dormí, dormiste, **durmió,** dormimos, dormisteis, **dur-mieron**
>   commands: **duerma** Ud., **duerman** Uds.

Like **dormir:** morir, *to die*

pedir (i), *to ask for*
>   present participle: **pidiendo**
>   present: **pido, pides, pide,** pedimos, pedís, **piden**
>   preterite: pedí, pediste, **pidió,** pedimos, pedisteis, **pidieron**
>   commands: **pida** Ud., **pidan** Uds.

Like **pedir:** despedirse de, *to take leave of, to say goodby to;* repetir, *to repeat;* servir, *to serve;* vestir, *to dress*

C. Verbos Irregulares

In each of the irregular verbs given below, only the tenses which have irregular forms are included. The irregular forms are indicated in bold face type.

andar, *to go, to walk*
>   preterite: **anduve, anduviste, anduvo, anduvimos, anduvisteis, anduvieron**

caer, *to fall*
>   present: **caigo,** caes, cae, caemos, caéis, caen
>   commands: **caiga** Ud., **caigan** Uds.
>   preterite: caí, caíste, **cayó,** caímos, caísteis, **cayeron**
>   present participle: **cayendo**

conocer, *to know*
>   present: **conozco,** conoces, conoce, conocemos, conocéis, conocen
>   commands: **conozca** Ud., **conozcan** Uds.

Like **conocer:** parecer, *to seem;* aparecer, *to appear;* pertenecer, *to belong*

construir, *to build*
> present: **construyo, construyes, construye,** construimos, construís, **construyen**
> commands: **construya** Ud., **construyan** Uds.
> preterite: construí, construiste, **construyó,** construimos, construisteis, **construyeron**
> present participle: **construyendo**

Like **construir:** destruir, *to destroy;* incluir, *to include*

dar, *to give*
> present: **doy,** das, da, damos, dais, dan
> commands: **dé** Ud., **den** Uds.
> preterite: **dí, diste, dió, dimos, disteis, dieron**

decir, *to say, to tell*
> present: **digo, dices, dice,** decimos, decís, **dicen**
> commands: **diga** Ud., **digan** Uds.
> preterite: **dije, dijiste, dijo, dijimos, dijisteis, dijeron**
> future: **diré, dirás, dirá, diremos, diréis, dirán**
> conditional: **diría, dirías, diría, diríamos, diríais, dirían**
> present participle: **diciendo**
> past participle: **dicho**

estar, *to be*
> present: **estoy, estás, está,** estamos, estáis, **están**
> commands: **esté** Ud., **estén** Uds.
> preterite: **estuve, estuviste, estuvo, estuvimos, estuvisteis, estuvieron**

haber, *to have* (used to form the compound tenses)
> present: **he, has, ha, hemos,** habéis, **han**
> preterite: **hube, hubiste, hubo, hubimos, hubisteis, hubieron**
> future: **habré, habrás, habrá, habremos, habréis, habrán**
> conditional: **habría, habrías, habría, habríamos, habríais, habrían**

hacer, *to do, to make*
    present: **hago,** haces, hace, hacemos, hacéis, hacen
    commands: **haga** Ud., **hagan** Uds.
    preterite: **hice, hiciste, hizo, hicimos, hicisteis, hicieron**
    future: **haré, harás, hará, haremos, haréis, harán**
    conditional: **haría, harías, haría, haríamos, haríais, harían**
    past participle: **hecho**

ir, *to go*
    present: **voy, vas, va, vamos, vais, van**
    commands: **vaya** Ud., **vayan** Uds.
    imperfect: **iba, ibas, iba, íbamos, ibais, iban**
    preterite: **fui, fuiste, fue, fuimos, fuisteis, fueron**
    present participle: **yendo**

leer, *to read*
    preterite: leí, leíste, **leyó,** leímos, leísteis, **leyeron**
    present participle: **leyendo**
    past participle: **leído**

Like **leer:** creer, *to believe, think*

oír, *to hear*
    present: **oigo, oyes, oye,** oímos, oís, **oyen**
    commands: **oiga** Ud., **oigan** Uds.
    preterite: oí, oíste, **oyó,** oímos, oísteis, **oyeron**
    present participle: **oyendo**
    past participle: **oído**

poder, *to be able, can*
    present: **puedo, puedes, puede,** podemos, podéis, **pueden**
    preterite: **pude, pudiste, pudo, pudimos, pudisteis, pudieron**
    future: **podré, podrás, podrá, podremos, podréis, podrán**
    conditional: **podría, podrías, podría, podríamos, podríais, po-**
       drían
    present participle: **pudiendo**

poner, *to put*

present: **pongo,** pones, pone, ponemos, ponéis, ponen
commands: **ponga** Ud., **pongan** Uds.
preterite: puse, pusiste, puso, pusimos, pusisteis, pusieron
future: pondré, pondrás, pondrá, pondremos, pondréis, pondrán
conditional: pondría, pondrías, pondría, pondríamos, pondríais,
  pondrían
past participle: **puesto**

querer, *to want, to wish*

present: **quiero, quieres, quiere,** queremos, queréis, **quieren**
commands: **quiera** Ud., **quieran** Uds.
preterite: **quise, quisiste, quiso, quisimos, quisisteis, quisieron**
future: **querré, querrás, querrá, querremos, querréis, querrán**
conditional: **querría, querrías, querría, querríamos, querríais,
  querrían**

saber, *to know*

present: **sé,** sabes, sabe, sabemos, sabéis, saben
commands: **sepa** Ud., **sepan** Uds.
preterite: **supe, supiste, supo, supimos, supisteis, supieron**
future: **sabré, sabrás, sabrá, sabremos, sabréis, sabrán**
conditional: **sabría, sabrías, sabría, sabríamos, sabríais, sabrían**

salir, *to leave, to go out*

present: **salgo,** sales, sale, salimos, salís, salen
commands: **salga** Ud., **salgan** Uds.
future: **saldré, saldrás, saldrá, saldremos, saldréis, saldrán**
conditional: **saldría, saldrías, saldría, saldríamos, saldríais, sal-
  drían**

ser, *to be*

present: **soy, eres, es, somos, sois, son**
commands: **sea** Ud., **sean** Uds.
imperfect: **era, eras, era, éramos, erais, eran**
preterite: **fui, fuiste, fue, fuimos, fuisteis, fueron**

tener, *to have*

present: **tengo, tienes, tiene,** tenemos, tenéis, **tienen**
commands: **tenga** Ud., **tengan** Uds.
preterite: **tuve, tuviste, tuvo, tuvimos, tuvisteis, tuvieron**
future: **tendré, tendrás, tendrá, tendremos, tendréis, tendrán**
conditional: **tendría, tendrías, tendría, tendríamos, tendríais, tendrían**

traducir, *to translate*

present: **traduzco,** traduces, traduce, traducimos, traducís, traducen
commands: **traduzca** Ud., **traduzcan** Uds.
preterite: **traduje, tradujiste, tradujo, tradujimos, tradujisteis, tradujeron**

traer, *to bring*

present: **traigo,** traes, trae, traemos, traéis, traen
commands: **traiga** Ud., **traigan** Uds.
preterite: **traje, trajiste, trajo, trajimos, trajisteis, trajeron**
present participle: **trayendo**
past participle: **traído**

venir, *to come*

present: **vengo, vienes, viene,** venimos, venís, **vienen**
commands: **venga** Ud., **vengan** Uds.
preterite: **vine, viniste, vino, vinimos, vinisteis, vinieron**
future: **vendré, vendrás, vendrá, vendremos, vendréis, vendrán**
conditional: **vendría, vendrías, vendría, vendríamos, vendríais, vendrían**
present participle: **viniendo**

ver, *to see*

present: **veo,** ves, ve, vemos, veis, ven
commands: **vea** Ud., **vean** Uds.
imperfect: **veía, veías, veía, veíamos, veíais, veían**
past participle: **visto**

VOCABULA
Español-Inglés

a to, at, on, by

abajo downstairs

abierto, -a open, opened

el **abogado** lawyer

abreviar to shorten

el **abrigo** coat, overcoat

el **abril** April

abrir to open

abrochar(se) to fasten

el **abuelo** grandfather

la **abuela** grandmother

los **abuelos** grandparents

acabar de to have just

la **acción** action

el **aceite** oil

acercarse (a) to approach

acompañado, -a de accompanied by

acompañar to accompany

acostarse (ue) to lie down, go to bed

activo, -a active

el **acto** act

el **actor** actor

la **actriz** actress

adelante come in, ahead

además besides

adiós goodby

admirar to admire

el **adobe** adobe (sun-dried brick made of clay)

adorar to adore, worship

adornado, -a (de) decorated (with), adorned (with)

el **aeroplano** airplane

el **aeropuerto** airport

el **aficionado** fan

ser **aficionado, -a a** to be fond of

agosto August

agradable pleasant

agrícola agricultural

el **agua** (*f.*) water

el **águila** (*f.*) eagle

ahora now

el **aire** air

al **aire libre** in the open air

al (a + el) to the, at the

al (entrar) on (entering)

la **alcoba** bedroom

alegre happy, merry

la **alegría** joy, happiness

la **alfarería** pottery

la **alfombra** carpet

algo something

¿**algo más**? anything else?

el **algodón** cotton

alguien someone, somebody

algún some, any

alguno, -a some, any

la **alianza** alliance

almorzar (ue) to lunch

el **almuerzo** lunch

NOTE: Vowel changes of verbs are given in parentheses. Prepositions used with verbs are indicated. Those prepositions not expressed in English are in parentheses.

alquilar to rent
alrededor (de) around
alto, -a high, tall
la **altura** height, altitude
el **alumno,** la **alumna** pupil, student
allá there
allí there
amable kind
amado, -a beloved
amar to love
amarillo, -a yellow
americano, -a American
el **amigo,** la **amiga** friend
el **amor** love
amplio, -a ample, spacious
ancho, -a wide
andar to walk, go
el **anillo** ring
animar to encourage, enliven
anoche last night
el **antepasado** ancestor
antes (de) before
antiguo, -a old, ancient
añadir to add
el **año** year
  ¿cuántos años tiene Ud.? how old are you?
el **aparato de televisión** television set
aparecer(se) to appear
el **apartamento** apartment
el **apetito** appetite
  tener apetito to be hungry
aplaudir to applaud
aplicado, -a industrious
aprender to learn
aquel, aquella that
  aquellos, -as those
aquí here

por aquí this way
el **árbol** tree
árido, -a dry
armado, -a armed
el **armario** closet
las **armas** arms, weapons
la **armonía** harmony
la **arquitectura** architecture
arreglar to arrange
arrojar to throw
el **arroz** rice
el **arte** art
el **artículo** article
el **artista** artist
artístico, -a artistic
el **ascensor** elevator
así thus, so
el **asiento** seat
la **asignatura** (school) subject
asistir (a) to attend
asombrarse to be astonished
el **aspecto** aspect, appearance
el **asunto** matter, affair
asustar to frighten
atacar to attack
el **ataque** attack
atar to tie
la **atención** attention
atender (ie) to attend, wait on
el **atractivo** attraction
aún still, yet; **aun** even
aunque although
ausente absent
auténtico, -a authentic
el **autobús** bus
el **automóvil** automobile, car
el **autor** author
la **avenida** avenue
el **aventurero** adventurer
el **avión** airplane, plane

¡ay! oh!
ayer yesterday
la ayuda help, aid
ayudar to help, aid
la azafata stewardess
el azúcar sugar
azul blue

bailar to dance
el baile dance
bajar to go down, come down, descend
  bajar de to get off, get out of
bajo under
el balcón balcony
el banco bench, bank
la banda band
la bandera flag
el banderillero banderillero (bullfighter who sticks darts in bull's neck)
el baño bath
  el cuarto de baño bathroom
barato, -a cheap
el barco boat
bastante quite, enough
  bastante bien rather well
bastardilla italic
  letra bastardilla italics
la batalla battle
beber to drink
la bebida drink, beverage
bellísimo, -a very beautiful
bello, -a beautiful
la biblioteca library
bien well
  está bien all right
bienvenido, -a welcome
el biftec steak
el billete ticket

blanco, -a white
la blusa blouse
la boca mouth
el boleto ticket
la bolsa purse
la bondad goodness, kindness
  tenga Ud. la bondad de please
bondadoso, -a kind
bonito, -a pretty
bordar to embroider
el borrador eraser
el bosque woods, forest
el bote boat
la botella bottle
el boxeador boxer
el brazalete bracelet
el brazo arm
buen good
bueno, -a good, well
el bulto parcel, package, bundle
el burro burro, donkey
buscar to look for

el caballo horse
  a caballo on horseback
  montar a caballo to go horseback riding
la cabeza head
el cacao cacao (bean from which chocolate is made)
cada each, every
caer to fall
el café coffee
  color café brown
la caja box
los calcetines socks
caliente hot, warm
el calor heat, warmth
  hacer calor to be warm (weather)

tener calor to be warm (person)
la **calle** street
la **cama** bed
la **camarera** chambermaid, stewardess
cambiar to change, exchange
el **cambio** change
  en cambio on the other hand
el **camello** camel
el **camino** road
la **camisa** shirt
la **campana** bell
el **campesino** farmer
el **campo** field, country
  campo de recreo playground
la **canasta** basket
la **canción** song
la **canoa** canoe
el **cañón** cannon
cansado, -a tired
cantar to sing
la **cantidad** quantity
la **capa** cape, cloak
la **capital** capital
capturar to capture
cargado, -a loaded
la **carne** meat
caro, -a dear, expensive
la **carretera** highway
la **carta** letter
la **cartera** wallet
la **casa** house
casi almost, nearly
el **casino** club, casino
el **castillo** castle
la **catedral** cathedral
catorce fourteen
a causa de because of
la **cebolla** onion
celebrar to celebrate

la **cena** supper
el **centavo** cent
el **centro** center
  en el centro in town
  ir al centro to go downtown
Centroamérica Central America
cerca de near
la **ceremonia** ceremony
cero zero
cerrar (ie) to close
  se cierra is closed
el **cerro** hill
la **cesta** basket
el **cesto** basket, waste basket
cien hundred
la **ciencia** science
ciento hundred
cierto, -a certain
cinco five
cincuenta fifty
el **cine** movies
el **cinturón** belt
el **circo** circus
la **ciudad** city
la **civilización** civilization
la **claridad** clarity, clearness
¡claro! of course!
la **clase** class, kind
el **clavel** carnation
el **cliente** client, customer
el **clima** climate
cobrar to collect
el **cobre** copper
el **cocido** stew
la **cocina** kitchen
el **coche** car
coger to gather, pick up
la **colección** collection
la **colina** hill
la **colonia** colony

el **color** color
color café brown
¿de qué color es? what color is
it?
el **collar** necklace
el **combate** combat, fight, struggle
la **comedia** comedy
el **comedor** dining room
comenzar (ie) to commence, begin
comer to eat
el **comerciante** merchant
el **comercio** commerce, trade
los **comestibles** groceries, food
tienda de comestibles grocery
store
cómico, -a comic, comical, funny
la **comida** dinner, meal, food
como like, as
¿cómo? how?
¿a cómo? for how much?
¿cómo se dice? how do you say?
¿cómo se llama Ud.? what is
your name?
¿cómo es . . . ? what is . . . like?
cómodo, -a comfortable
el **compañero** companion
la **compañía** company
completo, -a complete
la **compra** purchase
ir de compras to go shopping
el **comprador** buyer
comprar to buy
comprender to understand
con with
el **concierto** concert
la **concordancia** agreement
conducir to conduct, lead
conmigo with me
conocer to know, meet, be acquainted with

mucho gusto en conocerle very
glad to meet you
la **conquista** conquest
conservar to help, preserve
consistir (en) to consist (of)
constar (de) to consist (of)
la **construcción** construction
construir to build, construct
el **consuelo** consolation
contar (ue) to count, tell, relate
contemplar to contemplate, look
at
contento, -a glad, happy, con-
tented
contestar to answer
contigo with you
el **continente** continent
contra against
contrario contrary, opposite
el **contraste** contrast
la **copia** copy
el **corazón** heart
la **corbata** necktie
correr to run
correspondiente corresponding
la **corrida de toros** bullfight
la **cortesía** courtesy, politeness
la **cortina** curtain
la **cosa** thing
la **costa** coast
costar (ue) to cost
la **costumbre** custom, habit
crear to create
crecer to grow
creer to believe
creo que sí I think so
la **crema** cream
la **criada** maid
el **cristal** glass
cruzar to cross

el **cuaderno**   notebook
la **cuadra**   block
el **cuadro**   picture
¿cuál?   which? what?
cuando   when
   ¿cuándo?   when?
¿cuánto, -a?   how much?
   ¿cuántos, -as?   how many?
   ¡cuántos!   what a lot!
   ¿a cuántos estamos?   what is the
   date?
   cuanto es posible   as much as
   possible
cuarenta   forty
cuarto   quarter
el **cuarto**   room
   el **cuarto de baño**   bathroom
cuatro   four
cubano, -a   Cuban
cubrir   to cover
   cubierto, -a de   covered with
la **cuchara**   spoon
el **cuchillo**   knife
el **cuero**   leather
el **cuerpo**   body
cuidar   to take care of
cultivar   to cultivate, grow, raise
   se cultiva   is grown
culto, -a   cultured
la **cultura**   culture
el **cumpleaños**   birthday
la **cuna**   cradle
el **cura**   priest
curar   to cure

el **chal**   shawl
la **chaqueta**   jacket
charlar   to chat
el **charro**   Mexican horseman

el **cheque**   check
el **chicle**   chewing gum
la **chirimoya**   cherimoya (tropical
   fruit)

la **dama**   lady
dar   to give
   dar a   to face
   dar un paseo   to take a walk
de   of, from, in, about, with, by,
   (before number) than
dé   give (*from* **dar** to give)
deber   must, ought to, should
decidir   to decide
decir   to say, tell
declarar   to declare
dedicado, -a   devoted, dedicated
dedicar   to dedicate, devote
defender (ie)   to defend
del (de + el)   of the, from the
delante de   in front of
delicioso, -a   delicious
los **demás**   the rest, others
demasiado   too much
déme Ud.   give me
dentro de   within
depender de   to depend on
la **dependienta**   saleslady
el **dependiente**   clerk
el **deporte**   sport
derecho, -a   right, straight
   a la derecha   to the right
desarrollar   to develop
el **desayuno**   breakfast
el **descendiente**   descendant
desde   from, since
desear   to wish, desire, want
el **deseo**   desire, wish

373

el **desfile**   parade
el **desierto**   desert
la **despedida**   farewell
despedirse (i) de   to take leave of,
   say goodby to
después (de)   after
destruido   destroyed
destruir   to destroy
detrás de   behind, in back of
la **deuda**   debt
devorar   to devour
di   I gave; **dio**   he, she, you gave;
   dimos   we gave; **dieron**   they
   gave (*from* **dar** to give)
el **día**   day
   buenos días   good morning
   al día siguiente   on the follow-
      ing day
   hoy día   nowadays
el **dialecto**   dialect
diario, -a   daily
diciembre   December
el **dictador**   dictator
dicho   said, told
diez   ten
la **diferencia**   difference
diferente   different
difícil   difficult
la **dificultad**   difficulty
diga   tell, say (*from* **decir** to tell,
   say)
dije   I said; **dijo**   he, she, you said;
   dijimos   we said; **dijeron**   they
   said (*from* **decir** to say)
el **dinero**   money
el **dios**   god; **Dios**   God
la **dirección**   address
el **director**, la **directora**   principal
dirigir   to direct, conduct
el **disco**   record

el **discurso**   speech
la **disposición:**
   a la disposición de Ud(s).   at
      your disposal
la **distancia**   distance
   ¿a qué distancia . . .?   how far
      . . .?
distinguirse   to distinguish oneself
distinto, -a   different
divertirse (ie, i)   to have a good
      time, enjoy oneself
dividir   to divide
divinamente   divinely
divino, -a   divine
doce   twelve
la **docena**   dozen
el **doctor**   doctor
el **dólar**   dollar
el **dolor**   pain, grief
   dolor de cabeza   headache
doméstico, -a   domestic
dominado, -a   dominated
el **domingo**   Sunday
don   Don (title used before the
      given name of men)
donde   where
   ¿dónde?   where?
   ¿a dónde? (¿adónde?)   where?
doña   Doña (title used before the
      given name of women)
dormido -a   sleeping
dormir (ue, u)   to sleep
   dormir la siesta   to take a nap
dos   two
el **drama**   drama
la **duda**   doubt
   sin duda   undoubtedly
dulce   sweet
los **dulces**   candy
durante   during

374

durar to last
duro, -a hard

e and (*before* i *or* hi)
el ecuador equator
la edad age
el edificio building
la educación education
el ejemplo example
  por ejemplo for example
el ejercicio exercise
el ejército army
el the
él he
eléctrico, -a electric
el elefante elephant
elegante elegant
elegido, -a elected
elegir to elect
elemental elementary
ella she, her
ellos, -as they, them
embargo:
  sin embargo nevertheless, however
el emblema emblem
emocionante exciting
emparejar to match, pair
empatar to tie the score
el emperador emperor
empezar (ie) (a) + inf.   to begin (to)
el empleado attendant, employee
emplear to employ, use
en in, into, on, at
enamorado, -a de in love with
encantado, -a delighted
el encanto enchantment, charm
encima (de) above, on top of
encontrar (ue) to find, meet

encontrarse con to meet
la enchilada enchilada (a rolled tortilla filled with meat, cheese, etc.)
el enemigo enemy
enero January
el énfasis emphasis
enfermo, -a sick, ill
enfrente de in front of, facing
enfurecer to infuriate, enrage
enorme enormous
la ensalada salad
enseñar to teach, show
entender (ie) to understand
entonces then
la entrada entrance
entrar (en) to enter, go into
  entrar de to enter as, serve as
entre between, among
enviar to send
la época period, time
el equipaje baggage, luggage
el equipo team
era I, he, she was; **éramos** we were; **eran** they were (*from* **ser** to be)
la erre *letter* r (alphabet)
es is; he, she, it is (*from* **ser** to be)
la escalera stair, stairway
el escalón step
el escenario stage
escoger to choose
esconder to hide
escribir to write
escrito written
el escritorio desk
el escuadrón squadron
escuchar to listen (to)
la escuela school
  la escuela superior high school

la **escultura** sculpture
ese, esa that
la **esmeralda** emerald
esos, esas those
el **espacio** space
la **espalda** back, shoulder
español, española Spanish
  el **español** Spanish, Spaniard
el **espárrago** asparagus
la **especie** kind
el **espectáculo** spectacle, show
el **espejo** mirror
la **esperanza** hope
esperar to wait for, hope, expect
las **espinacas** spinach
el **esposo** husband
  la **esposa** wife
la **esquina** corner
está is; he, she, it is (*from* **estar** to
    be)
  está bien all right
establecerse to be established
la **estación** season, station
el **estado** state
los **Estados Unidos** United States
estallar to break out, burst
el **estante** bookcase
el **estaño** tin
estar to be
  ¿a cuántos estamos? what is the
    date?
este, esta this
éste, -a this one, the latter
el **este** east
el **estilo** type, style
esto this
estos, estas these
éstos, -as these, the latter
estrecho, -a narrow
la **estructura** structure

el **estuco** stucco
el **estudiante** student
estudiar to study
la **estufa** stove
estuve I was; **estuvo** he, she was;
    estuvimos we were; **estuvieron**
    they were (*from* **estar** to be)
eterno, -a eternal
europeo, -a European
evidente evident
el **examen** examination
examinar to examine
excelente excellent
la **exhibición** exhibit
existir to exist
el **experimento** experiment
explicar to explain
exportar to export
extender (ie) to extend
  se extiende it extends
extinguir to extinguish, put out
extranjero, -a foreign

la **fábrica** factory
fácil easy
la **falda** skirt
falso, -a false
la **falta** lack, mistake
la **familia** family
famoso, -a famous
el **fantasma** phantom, ghost
el **favor** favor
  por favor please
  haga Ud. el favor de please
favorito, -a favorite
febrero February
la **fecha** date
feliz happy
  Feliz Navidad Merry Christmas

feroz   ferocious
el **ferrocarril**   railroad
fértil   fertile
la **fiesta**   fiesta, party
fijo, -a   fixed
  precio fijo   one (set) price
el **fin**   end
  fin de semana   weekend
  al fin   finally, at last
la **finca**   farm
fino, -a   fine
la **flor**   flower
flotante   floating
la **forma**   form
formar   to form
la **fotografía**   photograph
fragante   fragrant
francés, francesa   French
  el francés   French, Frenchman
la **frase**   phrase, sentence
la **frecuencia**   frequency
  con frecuencia   frequently, often
frente a   in front of, facing
la **fresa**   strawberry
fresco, -a   fresh
  hace fresco   it is cool
los **frijoles**   beans
el **frío**   cold
  hacer frío   to be cold (weather)
  tener frío   to be cold (person)
frito, -a   fried
la **frontera**   border
la **fruta**   fruit
fue   he, she went; he, she, it was
  (*from* **ir** to go *or* **ser** to be)
el **fuego**   fire
  fuegos artificiales   fireworks
la **fuente**   fountain
fueron   they went; they were (*from*
  ir to go *or* **ser** to be)

fuerte   strong
la **fuerza**   force, power
fui   I went; I was
  fuimos   we went, we were (*from*
    ir to go *or* **ser** to be)
fumar   to smoke
la **fundación**   foundation
fusilar   to shoot
el **fútbol**   football, soccer
el **futuro**   future

la **ganadería**   cattle
ganar   to earn, win
  ganarse la vida   to earn one's living
el **gancho**   hanger
la **ganga**   bargain
la **gardenia**   gardenia
el **gato**   cat
  el **gatito**   kitten
el **gaucho**   gaucho (cowboy of the
  South American pampas)
el **general**   general
  en general   generally
generalmente   generally
generoso, -a   generous
la **gente**   people
el **geráneo**   geranium
el (la) **gerente**   manager
el **germen**   germ
el **gigante**   giant
la **gimnasia**   gymnastics
el **gimnasio**   gymnasium
el **gitano**   gypsy
la **gloria**   glory
el **gobernador**   governor
gobernar (ie)   to govern
el **gobierno**   government
la **goma**   (pencil) eraser

goma de mascar chewing gum

la **gorra** cap, hat

gozar (de) to enjoy

gracias thanks, thank you

  muchas gracias thank you very much

gran great

grande big, large, great

gris gray

gritar to shout, cry out

el **grito** shout

  a gritos shouting

el **grupo** group

la **gruta** cavern, grotto

los **guantes** gloves

guardar to keep, guard

  guardar silencio to keep silent

la **guerra** war

el **guerrero** warrior

el **guía** guide

el **guisado** stew (of meat)

los **guisantes** peas

la **guitarra** guitar

gustar to be pleasing, like

  me gusta(n) I like

  le gusta(n) he or she likes, you like

el **gusto** pleasure

  con mucho gusto gladly

  mucho gusto glad to meet you, how do you do?

ha he, she has; **han** they have (*from* **haber** to have)

haber to have

había there was, there were; had (*from* **haber** to have)

la **habilidad** ability, skill

el **habitante** inhabitant

hablar to speak, talk

  se habla is spoken

hacer to make, do

  hacer un viaje to take a trip

  hacer calor (frío) to be warm (cold)

  hacer buen (mal) tiempo to be good (bad) weather

  hace (dos días) (two days) ago

hacerse to become

hacia toward

la **hacienda** country estate, large farm

haga do, make (*from* **hacer** to do, make)

  haga usted el favor de please

hallar to find

  se halla is found

el **hambre** (*f.*) hunger

  tener (mucha) hambre to be (very) hungry

hasta until, to, as far as

  hasta luego see you later

  hasta mañana see you tomorrow

  hasta la vista goodby until I see you again

hay there is, there are

  ¿hay? is there? are there?

he I have (*from* **haber** to have)

hecho made

el **helado** ice cream

hemos we have (*from* **haber** to have)

el **hermano** brother

  la **hermana** sister

  los **hermanos** brothers, brother(s) and sister(s)

hermoso, -a beautiful

el **héroe** hero

heroico, -a heroic

el **heroísmo** heroism

hice I did, made; **hizo** he, she, you did, made; **hicimos** we did, made; **hicieron** they did, made (from **hacer** to do, make)

el **hielo** ice

el **hierro** iron

el **hijo** son
  la **hija** daughter
  los **hijos** children, son(s) and daughter(s)

el **hilo** thread, yarn

hispanoamericano, -a Spanish American

la **historia** history, story

histórico, -a historic

hizo he, she, you did, made (from **hacer** to do, make)

¡hola! hello!

el **hombre** man
  hombre de negocios business-man

el **honor** honor

la **hora** hour, time
  ¿qué hora es? what time is it?

hoy today
  hoy día nowadays

los **huaraches** leather sandals (Mexico)

el **huevo** egg

humano, -a human

húmedo, -a damp, humid

humilde humble

el **humor** humor

iba I, he, she was going; **íbamos** we were going; **iban** they were going (from **ir** to go)

el **idioma** language

la **iglesia** church

ignorante ignorant

igual equal

iluminado, -a illuminated

la **imagen** image

imaginarse to imagine

la **imitación** imitation

el **imperio** empire

la **importancia** importance

importante important

importar to import
  se importa is imported
  no importa it doesn't matter

impresionante impressive

incluir to include

la **independencia** independence

indígena native

el **indio** Indian

la **industria** industry

la **influencia** influence

el **informe** information

el **ingeniero** engineer

inglés, inglesa English
  el **inglés** English, Englishman

la **injusticia** injustice

inmenso, -a immense, huge

la **inmigración** immigration

el **inmigrante** immigrant

la **inspección** inspection

la **inspiración** inspiration

el **instante** instant, moment

inteligente intelligent

el **interés** interest

interesante interesting

interesar to interest
  interesarse por to be interested in

invadir to invade

la **invención** invention

el **invierno** winter

379

la **invitación**   invitation
invitar   to invite
ir   to go
la **ira**   anger, wrath, ire
la **isla**   island
el **italiano**   Italian
izquierdo, -a   left
  a la izquierda   to the left

el **jabón**   soap
jai alai   jai alai (game resembling
  handball)
la **jalea**   jelly
jamás   never
el **jamón**   ham
el **jardín**   garden
  jardín zoológico   zoo
la **jaula**   cage
el **jefe**   chief
joven   young
  el (la) **joven**   young man
  (woman)
la **joya**   jewel
el **juego**   game
el **jueves**   Thursday
el **jugador**   player
jugar (ue)   to play
el **jugo**   juice
el **juguete**   toy
julio   July
junio   June
juntos, -as   together

la   the; her, you, it
el **lado**   side
el **lago**   lake
el **lamento**   lament
la **lámpara**   lamp

la **lana**   wool
  de lana   woolen
la **lancha**   boat, launch
la **lanza**   lance
lanzar   to throw
el **lápiz**   pencil
largo, -a   long
las   the; them, you
la **lástima**   pity, compassion
  ¡qué lástima!   what a pity!
la **lata**   (tin) can
el **latín**   Latin
latino, -a   Latin
latinoamericano, -a   Latin American
lavar   to wash
  lavarse   to get washed
le   him, you, to him, to her, to you
la **lección**   lesson
la **leche**   milk
la **lechuga**   lettuce
la **lectura**   reading
leer   to read
la **legumbre**   vegetable
lejos   far
  a lo lejos   in the distance
la **lengua**   language
el **lenguaje**   language
el **león**   lion
les   them, you, to them, to you
la **letra**   letter (alphabet)
levantar   to raise
  levantarse   to get up, stand up
la **ley**   law
la **leyenda**   legend
liberar   to liberate, free
la **libertad**   freedom, liberty
la **libra**   pound
libre   free
el **libro**   book

la **liga** league
limpiar to clean
limpio, -a clean
lindo, -a pretty
la **lista:**
  pasar lista to call the roll
listo, -a ready
lo it
  lo que what
loco, -a crazy
lógico, -a logical
los the; them, you
la **lucha** struggle, fight
luchar to struggle, fight
luego then
  hasta luego see you later
el **lugar** place
la **luna** moon
el **lunes** Monday
la **luz** light

llamar to call
  llamar a la puerta to knock on the door
  llamar por teléfono to telephone
  llamarse to be called or named
  se llama his (her) name is
la **llanta** tire
la **llave** key
la **llegada** arrival
llegar to arrive
  llegar a casa to arrive home
  llegar a ser to become
llenar to fill
  se llena de is filled with
lleno, -a full
llevar to take, wear, carry
llover (ue) to rain

la **madera** wood
la **madre** mother
magnífico, -a magnificent
Magos:
  los Reyes Magos the Three Wise Men, Three Kings, Magi
el **maíz** corn (Indian)
majestuoso, -a majestic
mal bad, badly
la **maleta** suitcase
malo, -a bad
mandar to send, order
la **manera** manner, way
  de esta manera in this way
el **mango** mango (tropical fruit)
la **mano** hand
  a mano by hand
el **mantel** tablecloth
la **mantequilla** butter
la **mantilla** silk or lace head scarf
la **manzana** apple
mañana tomorrow
la **mañana** morning
  por la mañana in the morning
  de la mañana in the morning, A.M.
el **mapa** map
el (la) **mar** sea
maravilloso, -a marvelous
el **mariachi** strolling Mexican musician
el **marido** husband
la **mariposa** butterfly
el **mármol** marble
el **martes** Tuesday
marzo March
más more, most
  ¿qué más? what else?
el **matador** matador (bullfighter who kills bull)

matar to kill
las **matemáticas** mathematics
mayo May
mayor older, oldest, main
la **mayoría** majority
mayúscula capital
  letra mayúscula capital letter
me me, to me, myself
la **medianoche** midnight
las **medias** stockings
el **médico** doctor
medio, -a half
  y media half past
el **mediodía** noon
mejor better, best
mejorar to improve
el **melón** melon
la **memoria** memory
menor younger, youngest
menos less, least, minus
el **menú** menu
el **mercado** market
la **mercancía** merchandise
el **mes** month
la **mesa** table
el **mestizo** mestizo (a person of mixed blood)
la **metrópoli** metropolis (chief city of a country)
mexicano, -a Mexican
mi, mis my
mí me
el **miembro** member
mientras while
el **miércoles** Wednesday
mil (a) thousand
el **milagro** miracle
militar military
millares thousands
el **millón** million

la **mina** mine
el **mineral** mineral
mío, -a mine
mirar to look (at)
la **mirra** myrrh, incense
la **misa** Mass
la **miseria** misery, poverty
la **misión** mission
mismo, -a same
la **mitad** half, middle
la **moda** fashion, style
el **modelo** model
moderno, -a modern
un **momentito** just a moment
monótono, -a monotonous
la **montaña** mountain
montar to mount, ride
el **montón** pile, heap
el **monumento** monument
moreno, -a dark, brunette, brown
morir (ue, u) to die
mostrar (ue) to show
el **movimiento** movement
el **mozo** porter, waiter
el **muchacho** boy; la **muchacha** girl
mucho, -a much, a great deal; **muchos, -as** many
los **muebles** furniture
¡**muera!** down with!
la **muerte** death
  dar la muerte to kill
muerto, -a dead, died
la **mujer** woman, wife
la **mula** mule
la **multitud** multitude, crowd
el **mundo** world
  todo el mundo everybody, everyone
mural mural

el **museo** museum
la **música** music
el **músico** musician
muy very

nacer to be born
el **nacimiento** nativity scene, birth
la **nación** nation
nacional national
nada nothing
  de nada you're welcome
nadar to swim
nadie no one, nobody
la **naranja** orange
naturalmente naturally
la **Navidad** Christmas
necesario necessary
necesitar to need
  se necesita is needed
el **negocio** business
negro, -a black
nevar (ie) to snow
ni neither, nor
  ni ... ni neither ... nor
  ni siquiera not even
  ni yo tampoco neither do I
la **nieve** snow
el **nilón** nylon
ningún no, not any
ninguno, -a no, none, not any
el **niño** little boy, child
  la **niña** little girl, child
  los **niños** children
no no, not
la **noche** night, evening
  esta noche tonight
  de noche at night
  de la noche in the evening, at night, P.M.

por la noche in the evening, at night
buenas noches good evening, good night
la **Nochebuena** Christmas Eve
nombrar to name
el **nombre** name, noun
el **norte** north
el **norteamericano** North American, American (from United States)
nos us, to us, ourselves
nosotros, -as we; us
la **nota** mark, grade
notar to note, notice
la **noticia** news
novecientos, -as nine hundred
la **novedad** novelty
  tienda de novedades novelty shop
noventa ninety
noviembre November
el **novio** sweetheart, boy friend; la **novia** sweetheart, girl friend
la **nube** cloud
nuestro, -a our
nueve nine
nuevo, -a new
el **número** number
numeroso, -a numerous
nunca never

o or
el **obispo** bishop
el **objeto** object, purpose
obligado, -a obliged, obligated
la **obra** work
  obra dramática play
observar to observe

obtener   to obtain, get
el océano   ocean
el octubre   October
ocupado, -a   busy, occupied
ocupar   to occupy
ochenta   eighty
ocho   eight
el oeste   west
oficial   official
la oficina   office
ofrecer   to offer
ofrecerse   to offer oneself, to volun-
      teer
oír   to hear
   se oye   is heard
el ojo   eye
¡olé!   bravo!
olvidar   to forget
omitir   to omit
once   eleven
la operación   operation
opuesto, -a   opposite
la oración   sentence, oration,
      prayer
el oráculo   oracle
la orden   order
   a sus órdenes   at your service
ordenar   to put in order, ar-
      range
organizar   to organize
el orgullo   pride
el origen   origin
el oro   gold
la orquesta   orchestra
la orquídea   orchid
el otoño   autumn, fall
otro, -a   other, another
   otra vez   again
oye   he, she hears; you hear; oyen
      they hear (from oír to hear)

el padre   father
   los padres   parents
pagar   to pay
el país   country
el paisaje   landscape
la paja   straw
el pájaro   bird
la palabra   word
el palacio   palace
la palma   palm
las pampas   pampas (grassy plains
      in South America)
el pan   bread
   pan tostado   toast
   pan dulce   sweet roll
panamericano, -a   Pan American
el panecillo   roll
el panorama   view, panorama
los pantalones   trousers, pants
el pañuelo   handkerchief
la papaya   papaya (tropical fruit)
el papel   paper
el paquete   package
el par   pair
para   to, for, in order to
parecer   to seem
   parecerse a   to resemble, look
      like
la pared   wall
el parque   park
la parte   part
   por todas partes   everywhere
particular   private
el partido   game, match
partir   to depart
pasado, -a   past
   (el año) pasado   last (year)
el pasado   past
el pasajero   passenger
el pasaporte   passport

pasar   to pass, spend (time),
    happen
  pasar lista   to call the roll
pase Ud.   come in
pasearse   to take a walk
el paseo   walk, boulevard, drive
  dar un paseo   to take a walk
el pastel   pie, cake
la patata   potato
la patria   country
el patriota   patriot
el patrón, la patrona   patron
  santo patrón (santa patrona)
    patron saint
la paz   peace
pedir (i)   to ask for
la película   film
el pelo   hair
la pelota   ball
la peluquería   barber shop
pena:
  vale la pena   it's worthwhile,
    worth the trouble
el pendiente   earring
pensar (ie)   to think, intend to
peor   worse, worst
pequeño, -a   small
la pera   pear
perder (ie)   to lose, drop
perezoso, -a   lazy
el periódico   newspaper
el permiso   permission
permitir   to permit
pero   but
el perro   dog
  la perra   female dog
  el perrito   small dog
pertenecer   to belong
la persona   person
pesar   to weigh

el pescado   fish
el pescador   fisherman
el peso   weight; money (Mexican)
el petate   straw mat
el petróleo   gasoline
el pez   fish
el picador   picador (mounted bull-
    fighter who pierces bull with
    long lance)
el pico   beak, bill
el pie   foot
  a pie   on foot
  de pie   standing
la piedra   stone
la pila   pile
pintar   to paint
el pintor   painter
pintoresco, -a   picturesque
la pintura,   painting, picture
la piña   pineapple
la piñata   decorated clay jug filled
    with candy, nuts, toys, etc.
la pirámide   pyramid
la piscina   swimming pool
el piso   floor, story
la pizarra   blackboard
la planta   plant
la plata   silver
el plátano   banana
el platino   platinum
el plato   plate
la playa   beach
la plaza   plaza, public square
la pluma   pen
pobre   poor
pobrecito, -a   poor little one
poco, -a   little; pocos, -as   few
  poco a poco   little by little
poder (ue)   to be able, can
  se puede   one can

385

político, -a   political
  el **político**   politician
el **pollo**   chicken
el **poncho**   (a blanket which has a slit in the middle for the head and serves as a cloak)
poner   to put, place, set
ponerse   to become
ponga   put (from **poner** to put)
por   for, by, through, in, at
  por favor   please
  por fin   finally, at last
  por supuesto   of course
  por último   finally
¿**por qué?**   why?
porque   because
la **porra**   bone, nuisance, club, bludgeon
el **portugués**   Portuguese
las **posadas**   Christmas celebrations which last nine days
el **poseedor**, la **poseedora**   possessor, owner
el **postre**   dessert
el **precio**   price
precioso, -a   precious, lovely
predominar   to predominate
preferir (ie, i)   to prefer
la **pregunta**   question
preguntar   to ask
el **prejuicio**   prejudice
el **premio**   prize
  premio gordo   first prize
el **prendedor**   pin
prender   to seize, grasp
preparar   to prepare
  se prepara   is prepared
el **preparativo**   preparation
la **presencia**   presence
presentar   to present, introduce

presente   present
el **presidente**   president
el **pretexto**   pretext
la **primavera**   spring
primer   first
primero, -a   first
primitivo, -a   primitive
el **primo**, la **prima**   cousin
el **príncipe**   prince
el **principio**   beginning
  al principio   at first
la **prisa**   hurry, rush
  tener prisa   to be in a hurry
el **prisionero**   prisoner
el **problema**   problem
la **producción**   production
producir   to produce
  se produce   is produced
el **producto**   product
la **profesión**   profession
el **profesor**, la **profesora**   teacher, professor
profundo, -a   deep, profound
el **programa**   program
progresivo, -a   progressive
prohibir   to forbid, prohibit
prometer   to promise
pronunciar   to pronounce, to make (a speech)
el **propietario**   proprietor, owner
la **propina**   tip
propio, -a   own
a propósito   by the way
la **prosperidad**   prosperity
proteger   to protect
próximo, -a   next
público, -a   public
pude   I was able; **pudo,** he, she was able; **pudimos** we were able; **pudieron**   they were able

386

el **pueblo** (small) town, village, people

la **puerta** door

el **puerto** port

el **puertorriqueño** Puerto Rican

pues then, well

  pues bien well then

puesto put, placed, set

el **puesto** stand, stall, booth

el **punto** point, period

  en punto sharp (time), on the dot

el **pupitre** desk

puse I put; **puso** he, she, you put; **pusimos** we put; **pusieron** they put (*from* **poner** to put)

que who, whom, which, that

  el que, la que the one that, he who, she who

  lo que what

  ¿qué? what?

  ¿qué tal? how are you?

  ¡qué bueno! how nice!

quedar(se) to remain, stay

quemar to burn

querer to wish, want, love

  querer decir to mean

querido, -a dear

el **queso** cheese

¿quién? who?

quince fifteen

quinientos, -as five hundred

quinto, -a fifth

quise I wanted; **quiso** he, she, you wanted; **quisimos** we wanted; **quisieron** they wanted (*from* **querer** to want)

quizá(s) perhaps

el **radical** radical, stem

el (la) **radio** radio

el **ramo** bouquet

el **rancho** ranch

rápidamente rapidly, quickly

el **rascacielo** skyscraper

la **rata** rat

la **raza** race

  el **Día de la Raza** Columbus Day

la **razón** reason

  tener razón to be right

  no tener razón to be wrong

el **rebozo** shawl

recibir to receive

recoger to gather, pick up

recordar (ue) to remember

el **recreo** recreation

  campo de recreo playground

los **recuerdos** regards

reemplazar to replace

referir (ie) to refer

el **refrán** proverb, saying

el **refresco** refreshment, soft drink

el **refrigerador** refrigerator

el **regalo** gift, present

regatear to bargain

la **región** region

el **regreso** return

el **reino** kingdom

la **reja** iron grille (over windows)

la **relación** relation

el **reloj** watch, clock

remar to row

rendirse (i) to surrender

reorganizar to reorganize

repartir to distribute

el **repaso** review

repente:

  de repente suddenly

387

repetir (i) to repeat
el representante representative
representar to represent
la república republic
reservado, -a reserved
la residencia residence, house
resistir to resist
respetar to respect
responder to answer, reply
la respuesta answer
restablecerse to be re-established
el restaurante restaurant
resultar to result
la reunión gathering, meeting
reunirse to gather, meet
revelar to reveal
la revista magazine
el rey king
   los **Reyes Magos** the Three
    Wise Men, Three Kings, Magi
rico, -a rich
el río river
robar to steal
rocoso, -a rocky
rodeado, -a de surrounded by
rodear to surround
rojo, -a red
romper to break
la ropa clothes, clothing
la rosa rose
rubio, -a blond
el ruido noise
las ruinas ruins

el sábado Saturday
saber to know, know how
sacar to take out
el sacerdote priest
el saco coat, jacket

el sacrificio sacrifice
sagrado, -a sacred
la sal salt
la sala living room, parlor
la salida exit
salir (de) to go out (of), leave
el salón salon, hall
   salón de belleza beauty parlor
saltar to jump
saludar to greet
los saludos regards, greetings
salvaje savage, wild
salvar to save
san saint
la sandalia sandal
el santo, la santa saint
el santuario sanctuary
el sarape serape (Mexican blanket)
se himself, herself, yourself, themselves
sé I know (*from* saber to know)
la sección section
secundario, -a secondary
la sed thirst
   tener sed to be thirsty
la seda silk
seguido, -a de followed by
   en seguida at once, immediately
seguir (i) to follow, go on, continue
según according to
segundo, -a second
seguro, -a sure, certain
seis six
la selva forest
el sello stamp, seal
la semana week
sencillo, -a simple
la senda path

sentarse (ie)   to sit down

sentir (ie, i)   to feel, to be sorry

  lo siento mucho   I am very sorry

el señor   sir, Mr., gentleman

la señora   Mrs., madam

la señorita   Miss, young lady

separar   to separate

septiembre   September

ser   to be

la serenata   serenade

  dar serenata   to serenade

la serpiente   serpent

servidor, servidora   present (in an-swer to roll call)

la servilleta   napkin

servir (i)   to serve

  servir de   to serve as

  se sirve   is served

sesenta   sixty

setecientos, -as   seven hundred

setenta   seventy

si   if

sí   yes

siempre   always

la sierra   mountain range

la siesta   afternoon nap

siete   seven

el siglo   century

significar   to mean, signify

siguiente   following, next

  al día siguiente   on the follow-ing day

la silla   chair

el sillón   armchair

simbolizar   to symbolize

simpático, -a   nice, charming

sin   without

  sin embargo   nevertheless, how-ever

sinfónico, -a   symphonic

orquesta sinfónica   symphony orchestra

el sirviente   servant

el sitio   place, siege

situado, -a   situated

sobre   on, upon, above

  sobre todo   especially, above all

el sofá   sofa, couch

el sol   sun

solamente   only

el soldado   soldier

solo, -a   alone, single

sólo   only

el sombrero   hat

son   are (from ser to be)

sonar (ue)   to sound, ring

la sopa   soup

sorprenderse   to be surprised

la sorpresa   surprise

su, sus   his, her, its, your, their

subir   to go up, come up, climb

el substantivo (sustantivo)   noun

suceder   to happen

Sudamérica   South America

el sudoeste   southwest

la suerte   luck

el suéter   sweater

sufrir   to suffer

el sujeto   subject

supe   I knew; supo   he, she knew; supimos   we knew; supieron they knew (from saber to know)

suprimir   to suppress

supuesto   supposed

  por supuesto   of course

el sur   south

el tabaco   tobacco

el **tablero**   bulletin board

el **taco**   taco (toasted tortilla filled with chopped meat, lettuce, peppers, etc.)

tal   such, such a

  tal vez   perhaps

  ¿qué tal?   how are you?

el **tamaño**   size

también   also, too

tampoco   neither

  ni yo tampoco   neither do I

tan   so

  tan . . . como . . .   as . . . as . . .

el **tanque**   tank

tanto, -a   so much, as much

  tanto como   as much as

  tantos, -as   so many, as many

tarde   late

la **tarde**   afternoon

  buenas tardes   good afternoon

  por la tarde   in the afternoon

  de la tarde   in the afternoon, P.M.

la **tarea**   homework, task

la **tarjeta**   card

la **taza**   cup

te   you (fam.); to you

el **té**   tea

el **teatro**   theater

el **techo**   ceiling, roof

la **teja**   tile

el **tejado**   roof

tejano, -a   Texan

tejer   to weave

el **tejido**   textile

el **teléfono**   telephone

el **telegrama**   telegram

el **telón**   curtain

el **tema**   theme

el **templo**   temple

temprano   early

el **tenedor**   fork

tener   to have

  tener . . . años   to be . . . years old

  tener apetito   to be hungry

  tener calor   to be warm

  tener hambre   to be hungry

  tener prisa   to be in a hurry

  tener que   to have to, must

  tener razón   to be right

  no tener razón   to be wrong

  tener sed   to be thirsty

tenga   have (*from* **tener** to have)

  tenga Ud. la bondad de   please

tercer   third

tercero, -a   third

terminar   to end, terminate

la **terraza**   terrace

el **tesoro**   treasure

ti   you (fam.)

la **tía**   aunt

el **tiempo**   time, weather

  a tiempo   on time

  ¿cuánto tiempo?   how long?

  ¿qué tiempo hace?   how is the weather?

la **tienda**   store, shop

la **tierra**   earth, land

el **tigre**   tiger

la **tinta**   ink

el **tío**   uncle

el **tiovivo**   merry-go-round

típico, -a   typical

el **tipo**   type

tirar   to throw

la **tiza**   chalk

la **toalla**   towel

el **tocador**   dresser

tocar   to touch, play (instrument)

el **tocino** bacon
todavía still, yet
  todavía no not yet
todo everything
  todo, -a all, every
  sobre todo especially, above all
tomar to take, have
el **tomate** tomato
el **torero** bullfighter
el **tormento** torment, torture
el **toro** bull
  la corrida de toros bullfight
la **tortilla** tortilla (cornmeal pancake)
torturar to torture
tostado, -a toasted
  pan tostado toast
totalmente totally
trabajador, -a hard-working
trabajar to work
la **tradición** tradition
tradicional traditional
traducir to translate
traer to bring
el **tráfico** traffic
la **tragedia** tragedy
traiga bring (*from* **traer** to bring)
  tráigame Ud. bring me
el **traje** suit, costume
traje I brought; **trajo,** he, she, you brought; **trajimos** we brought; **trajeron** they brought (*from* **traer** to bring)
tranquilo, -a calm, quiet
el **tranvía** streetcar
tratar de to try to
trece thirteen
treinta thirty
el **tren** train
tres three

la **tribu** tribe
el **trigo** wheat
triste sad
triunfar to triumph
el **trono** throne
la **tropa** troop
tu your (fam.)
tú you (fam.)
el **turista** tourist
tuve I had; **tuvo** he, she, you had; **tuvimos** we had; **tuvieron** they had (*from* **tener** to have)

último, -a last, latest
  por último finally
un, una a, an, one
único, -a only
el **uniforme** uniform
unir to unite
la **universidad** university
uno, -a one
unos, -as some
usar to use, wear
  se usa is used
el **uso** use
usted, ustedes you
útil useful
la **uva** grape

va he, she goes; you go; **van** they go (*from* **ir** to go)
las **vacaciones** vacation
la **vainilla** vanilla
valer to be worth
  ¿cuánto vale? how much does it cost?
  vale la pena it is worthwhile
valiente brave

391

el **valor** courage
el **valle** valley
vamos let's go, we go (*from* **ir** to
go)
la **variedad** variety
varios, -as various, several
el **vaso** glass
vaya go (*from* **ir** to go)
las **veces** times (plural of **vez**)
el **vecino,** la **vecina** neighbor
veinte twenty
vencer to conquer, defeat
el **vendedor** vendor
vender to sell
se vende is sold
venga Ud. come (*from* **venir** to
come)
venir to come
la **venta** sale
la **ventana** window
ver to see
se ve is seen
el **verano** summer
la **verdad** truth
¿verdad? isn't that so? isn't it
true? aren't you? didn't you?
etc.
verdadero, -a true, real
verde green
la **verdura** (green) vegetable
el **verso** verse
el **vestido** dress
vestirse to get dressed, dress oneself
la **vez** time
a veces at times
algunas veces sometimes
dos veces twice
en vez de instead of
muchas veces often

otra vez again
tal vez perhaps
una vez once
viajar to travel
el **viaje** trip
hacer un viaje to take a trip
el **viajero** traveler
la **victoria** victory
la **vida** life
el **vidrio** glass
viejo, -a old
el **viento** wind
hacer viento to be windy
el **viernes** Friday
vine I came; **vino** he, she, you
came; **vinimos** we came; **vinieron** they came (*from* **venir**
to come)
la **violencia** violence
la **violeta** violet
el **violín** violin
la **Virgen** the Virgin
la **visita** visit
estar de visita to be visiting
visitar to visit
la **vista** view, look, glance
visto seen
¡viva! long live!
vivir to live
vivo, -a bright
la **vocal** vowel
volar (ue) to fly
el **volcán** volcano
volver (ue) to return
volver a (to do) again
vosotros, -as you (fam. plural)
voy I go (*from* **ir** to go)
la **voz** voice
vuelto returned
vuestro, -a your (fam. plural)

y and, plus

  son las cuatro y veinte it is twenty after four

ya now, already

  ¡ya lo creo! yes indeed! I should say so!

ya no no longer

yerba mate South American tea

yo I

el zapato shoe

VOCABULARIO
Inglés-Español

a un, una

to be **able** <u>poder</u>

about de; (approximately) unos, -as

absent ausente

according to según

act el acto

active activo, -a

actor el actor

actress la actriz

to **add** añadir

address la dirección

to **admire** admirar

adobe el adobe
  an adobe house una casa de adobe

after después de
  it is ten after five son las cinco y diez

afternoon la tarde
  good afternoon buenas tardes
  in the afternoon por la tarde; (when hour is given) de la tarde
  (Saturday) afternoon (el sábado) por la tarde

afterwards después

again otra vez
  to do something again volver (ue) a + inf.

against contra

ago:
  (a week) ago hace (una semana)

agreement la concordancia

airplane el avión, el aeroplano

airport el aeropuerto

all todo, -a
  all right! ¡está bien! ¡bueno!

almost casi

already ya

also también

although aunque

altitude la altura

always siempre

ample amplio, -a

A.M. de la mañana

America la América
  Spanish America Hispanoamérica
  Latin America La América Latina
  North America Norteamérica, la América del Norte
  South America Sudamérica, la América del Sur
  Central America Centroamérica, la América Central

American americano, -a; norteamericano, -a
  Spanish American hispanoamericano, -a
  Latin American latinoamericano, -a

All irregular verbs are indicated by underscoring and their conjugations may be found in the verb section.

among entre
an un, una
and y; (*before* i *or* hi), e
anger la ira
animal el animal
another otro, -a
to **answer** contestar, responder
answer la respuesta
any:
   do you have any ink? ¿tiene Ud.
     tinta?
anything algo
   anything else algo más
   I do not want anything no
     quiero nada
apartment el apartamento
   apartment house la casa de
     apartamentos
to **appear** aparecer, parecer
apple la manzana
to **approach** acercarse a
architecture la arquitectura
are:
   there are hay
   how are you? ¿cómo está Ud.?
arm el brazo
armed armado, -a
army el ejército
around alrededor de
to **arrange** ordenar
to **arrive** llegar
   to **arrive home** llegar a casa
art el arte
   art exhibit la exposición de arte
artist el (la) artista
as como
   as . . . as tan . . . como
to **ask** (a question) preguntar
   to **ask for** (something) pedir (i)
at a, en

   at home en casa
to **attend** asistir a
attraction el atractivo
August agosto
aunt la tía
   aunt(s) and uncle(s) los tíos
automobile el automóvil
autumn el otoño
avenue la avenida

bacon el tocino
   bacon and eggs huevos con to-
     cino
bad malo, -a; (before masc. sing.
   noun) mal
   that's too bad! ¡qué lástima!
baggage el equipaje
balcony el balcón
ball la pelota
banana la banana, el plátano
band la banda
bank el banco
barber el peluquero
   barber shop la peluquería
baseball el béisbol
bath el baño
bathroom el cuarto de baño
to **be** ser, estar
beach la playa
beak el pico
beans los frijoles
beautiful hermoso, -a, bello, -a
beauty parlor el salón de belleza
because porque
to **become** hacerse
bed la cama
   to go to bed acostarse (ue)
bedroom la alcoba

395

before (time) antes de; (place) delante de

to **begin** comenzar (ie), empezar (ie)

behind detrás de

to **believe** creer

  I believe so creo que sí

to **belong** pertenecer

belt el cinturón

bench el banco

best mejor

better mejor

between entre

beverage la bebida

big grande, enorme

bill (of bird) el pico

bird el pájaro

birthday el cumpleaños

black negro, -a

blackboard la pizarra

block la cuadra

blond rubio, -a

blouse la blusa

bludgeon la porra

blue azul

boat el barco, el bote

book el libro

to be **born** nacer

bottle la botella

box la caja

boy el muchacho, el niño

  boy(s) and girl(s) los muchachos

  boy friend el novio

bracelet el brazalete

brave valiente

bread el pan

to **break out** estallar

breakfast el desayuno

to **have breakfast** tomar el desayuno

to **bring** traer

brother el hermano

  brother(s) and sister(s) los hermanos

brown color café, pardo, -a

brunette moreno, -a

to **build** construir

building el edificio

bull el toro

  bull ring la plaza de toros

bullfight la corrida de toros

bullfighter el torero

bundle el bulto

to **burst** estallar

bus el autobús

businessman hombre de negocios

busy ocupado, -a

but pero

butter la mantequilla

to **buy** comprar

by por, en

cafeteria la cafetería

cake el pastel, la torta

to **call** llamar

  to call the roll pasar lista

  to call on the phone llamar por teléfono

camera la cámara

can (tin can) la lata; (to be able) poder

  what can I do for you? ¿en qué puedo servirle?

candy los dulces

cap la gorra

capital la capital

car el coche, el automóvil

card la tarjeta
carnation el clavel
to **carry** llevar
casino el casino
cat el gato
to **celebrate** celebrar
cent el centavo
central central
  Central America Centroamérica, la América Central
century el siglo
cereal el cereal
certain cierto, -a
chair la silla
chalk la tiza
charming simpático, -a
cheap barato, -a
cheese el queso
chicken el pollo
child el niño, la niña; (son) el hijo; (daughter) la hija
children los niños; (sons and daughters) los hijos
chocolate el chocolate
  chocolate ice cream helado de chocolate
Christmas la Navidad
  Christmas Eve la Nochebuena
  Merry Christmas Feliz Navidad
to **choose** escoger
church la iglesia
  to church a la iglesia
city la ciudad
clarity la claridad
class la clase
classroom la clase
clearness la claridad
clerk el dependiente
to **climb** subir

clock el reloj
  it is five o'clock son las cinco
to **close** cerrar (ie)
clothes la ropa
  sport clothes traje de sport
clothing la ropa
cloud la nube
club (social) el casino
coat (overcoat) el abrigo, el saco
coffee el café
cold el frío
  to be cold (weather) hacer frío; (person) tener frío
to **collect** cobrar
color el color
  what is the color of? ¿de qué color es?
to **come** venir
  come in! ¡pase Ud.! ¡adelante!
  to come by pasar por
comfortable cómodo, -a
composition la composición
concert el concierto
conductor (of an orchestra) el director
to **conquer** vencer
continent el continente
contrary contrario
contrast el contraste
cool fresco, -a
  it is cool hace fresco
corner la esquina
corresponding correspondiente
to **cost** costar (ue)
costume el traje
cotton el algodón
to **count** contar (ue)
country (nation) el país; (as contrasted with city) el campo

397

courage   el valor
course:
  of course!   ¡por supuesto! ¡claro!
cousin   el primo, la prima
covered with   cubierto, -a de
cradle   la cuna
cream   la crema
  ice cream   el helado
to cross   cruzar
cup   la taza
curtain   la cortina
custom   la costumbre
customer   el cliente

dance   el baile
to dance   bailar
dark (complexion)   moreno, -a
date (calendar)   la fecha; (appoint-
  ment)   la cita
  what is the date today?   ¿cuál es
  la fecha de hoy?
daughter   la hija
day   el día
  every day   todos los días
dear   querido, -a; (expensive) caro,
  -a
death   la muerte
debt   la deuda
December   diciembre
to defeat   vencer
delicious   delicioso, -a
to depend on   depender de
desert   el desierto
desk   el escritorio; (student's desk)
  el pupitre
dessert   el postre
to destroy   destruir
to develop   desarrollar

dialect   el dialecto
dictator   el dictador
to die   morir (ue, u)
different   diferente
difficult   difícil
dining room   el comedor
dinner   la comida
  to have dinner   comer
dish   el plato
disposal:
  at your disposal   a la disposición
  de Ud(s).
to divide   dividir
to do   hacer
  do, does, did (not translated when
  part of another verb)
  what can I do for you?   ¿en qué
  puedo servirle?
  doesn't he? don't you? etc.   ¿verdad?
doctor   el doctor, el médico
dog   el perro, la perra
  small dog   el perrito
dollar   el dólar
donkey   el burro
door   la puerta
dot:
  on the dot   en punto
down:
  to go down   bajar
downstairs   abajo
downtown   el centro
  to go downtown   ir al centro
dozen   la docena
dress   el vestido
  to dress   vestir (i)
  to get dressed, dress oneself   vestirse (i)
to drink   beber

to **drop** perder (ie)
during durante

each cada
early temprano
to **earn** ganar
east el este
easy fácil
to **eat** comer
  to **eat breakfast** tomar el desa-
    yuno, desayunar(se)
  to **eat lunch** almorzar (ue)
  to **eat dinner** comer
egg el huevo
eight ocho
eighteen diez y ocho, dieciocho
eighty ochenta
eleven once
else:
  anything else algo más
to **embroider** bordar
emphasis el énfasis
to **employ** emplear
to **encourage** animar
enemy el enemigo
English inglés, inglesa; (language)
  el inglés
to **enjoy oneself** divertirse (ie, i)
to **enliven** animar
to **enter** entrar (en)
equal igual
eraser (blackboard) el borrador;
  (pencil) la goma
especially sobre todo
even aún
evening la noche
  in the evening por la noche;
    (when hour is given) de la
    noche

good evening buenas noches
every todos los, todas las
  every day todos los días
everybody todo el mundo
everyone todo el mundo
everywhere por todas partes
examination el examen
example:
  for example por ejemplo
to **exchange** cambiar
exercise el ejercicio
exhibit:
  art exhibit la exposición de arte
to **exist** existir
exit la salida
expensive caro, -a
to **explain** explicar
to **export** exportar
eye el ojo

face la cara
  to **face** dar a
factory la fábrica
fall (season) el otoño
to **fall** caer
family la familia
famous famoso, -a
fan el aficionado, la aficionada
far lejos (de)
  how far is . . . ? ¿a qué distancia
    está . . . ?
farewell la despedida
to **fasten** abrochar(se)
father el padre
favorite favorito, -a
February febrero
to **feel** sentir (ie)
  to **feel sorry** sentir (ie, i)
few pocos, -as

399

fiesta la fiesta
fifteen quince
fifth quinto
fifty cincuenta
film la película
finally por fin, al fin, finalmente, por último
to **find** hallar, encontrar (ue)
fine fino, -a
 fine, thank you bien, gracias
 the weather is fine hace buen tiempo
first primero, -a; (before masc. sing. noun) primer
fish el pescado
five cinco
five hundred quinientos, -as
flag la bandera
floor (story) el piso
floor plan la planta
flower la flor
to **fly** volar (ue)
following siguiente
 on the following day al día siguiente
food la comida
foot el pie
 on foot a pie
football el fútbol
for para, por
force la fuerza
foreign extranjero, -a
fork el tenedor
forty cuarenta
foundation la fundación
four cuatro
fourteen catorce
free libre
French francés, francesa; (language) el francés

fresh fresco, -a
Friday el viernes
fried frito, -a
friend el amigo, la amiga
to **frighten** asustar
from de, desde
 from . . . to desde . . . hasta
front:
 in front of (facing) enfrente de, frente a; (ahead of) delante de
fruit la fruta
full lleno, -a
furniture los muebles

game el juego; (match) el partido
garden el jardín
gardenia la gardenia
to **gather** recoger
geranium el geráneo
germ el germen
German alemán, alemana; (language) el alemán
to **get off, get out of** bajar de
to **get up** levantarse
ghost el fantasma
gift el regalo
girl la muchacha
 girl friend la novia
to **give** dar
glad contento, -a, alegre
 glad to meet you mucho gusto
gladly con mucho gusto
glass el vaso
glove el guante
to **go** ir, andar
 to go out salir
 to go up subir
 to go down bajar

to go to bed acostarse (ue)
gold el oro
good bueno, -a; (before masc. sing. noun) buen
goodby adiós
government el gobierno
grade la nota
grandfather el abuelo
grandmother la abuela
grandparents los abuelos
to grasp prender
great grande; (before a sing. noun) gran
green verde
to greet saludar
grocery store la tienda de comestibles
to grow crecer, cultivar
guitar la guitarra
gum el chicle
gym el gimnasio
gymnastics la gimnasia
gypsy el gitano

hair el pelo
half medio, -a
  half past y media
ham el jamón
  ham and eggs huevos con jamón
hand la mano
  by hand a mano
handkerchief el pañuelo
happy alegre, feliz, contento, -a
hard duro, -a; (difficult) difícil
harmony la armonía
hat el sombrero, la gorra
to have tener
  (helping verb) haber

to have to tener que
to have (food, drink) tomar
to have just acabar de + inf.
to have a good time divertirse (ie, i)
he él
he who el que
head la cabeza
headache el dolor de cabeza
to hear oír
heart el corazón
hello hola; (over telephone) ¡diga! ¡bueno! ¡aló!
to help ayudar
her:
  her (book) su (libro)
  (for) her (para) ella
  (I see) her la (veo)
  (I speak) to her le (hablo)
here aquí
herself se
high alto, -a
highway la carretera
him:
  (for) him (para) él
  (I see) him le (veo)
  (I speak) to him le (hablo)
himself se
his su, sus
holiday la fiesta, el día de fiesta
home la casa
  at home en casa
  (he goes) home (va) a casa
homework la tarea
to hope esperar
horse el caballo
horseback:
  on horseback a caballo
  to go horseback riding montar a caballo

hot   caliente
  to be hot (weather)   hacer calor;
    (person)   tener calor
hotel   el hotel
hour   la hora
house   la casa
  apartment house   casa de aparta-
    mentos
how?   ¿cómo?
  how are you?   ¿cómo está Ud.?
    ¿qué tal?
  how do you do?   mucho gusto
  how do you say?   ¿cómo se dice?
  how old are you?   ¿cuántos años
    tiene Ud.?
  how nice!   ¡qué bueno!
  how long (time)?   ¿cuánto
    tiempo?
  how much?   ¿cuánto, -a?
  how many?   ¿cuántos, -as?
however   sin embargo
hundred   ciento; (before a noun,
  mil *or* millones)   cien
hungry:
  to be hungry   tener hambre,
    tener apetito
hurry:
  to be in a hurry   tener prisa
husband   el esposo

I   yo
ice   el hielo
  ice cream   el helado
idea   la idea
if   si
ill   enfermo, -a
immediately   en seguida
important   importante
in   en; (after a superlative)   de

incense   la mirra
to **include**   incluir
indeed:
  yes, indeed!   ¡ya lo creo!
independence   la independencia
independent   independiente
Indian   indio, -a
industrious   aplicado, -a
industry   la industria
influence   la influencia
inhabitant   el habitante
ink   la tinta
instead of   en vez de
intelligent   inteligente
to **intend**   pensar (ie)
interesting   interesante
to **introduce**   presentar
to **invite**   invitar
ire   la ira
is (see verb *to be*)
  isn't it true?   ¿verdad?
  there is   hay
it (object of verb)   lo, la; (subject
    of verb, not translated)
  it is   es, está
italics   letra bastardilla
its   su, sus

jacket   el saco, la chaqueta
January   enero
jelly   la jalea
joking   chichón (S.A.)
juice   el jugo
July   julio
June   junio
just:
  to have just   acabar de + inf.
  just a moment   un momentito

to **keep**   guardar
  to keep silent   guardar silencio
kind   amable, bondadoso, -a
  what kind of . . . ?   ¿qué clase de
  . . . ?
king   el rey
kitchen   la cocina
kitten   el gatito
knife   el cuchillo
to **knock**   llamar a la puerta
to **know** (a fact)   saber; (a person)
  conocer
  to know how to   saber

lady   la señora
  young lady   la señorita
lake   el lago
lamp   la lámpara
land   la tierra
language   la lengua, el idioma
large   grande
last   último, -a
  last night   anoche
  last (week)   (la semana) pasada
to **last**   durar
late   tarde
later   más tarde
  see you later   hasta luego
latest   último, -a
Latin   el latín
  Latin America   la América Latina
  Latin American   latinoamericano, -a
the **latter**   éste, -a, éstos, -as
lawyer   el abogado
lazy   perezoso, -a
leader   el jefe

to **learn**   aprender
leather   el cuero
to **leave**   salir
left:
  to the left   a la izquierda
lemon   el limón
less   menos
lesson   la lección
let:
  let's see   vamos a ver
  let's go   vamos, vámonos
letter   la carta
  (alphabet)   letra
  capital letter   letra mayúscula
lettuce   la lechuga
liberty   la libertad
library   la biblioteca
life   la vida
light   la luz
like   como
to **like**   gustar
  (I) like   (me)   gusta(n)
to **listen** (to)   escuchar
little (quantity)   poco; (size)   pequeño, -a
  little by little   poco a poco
to **live**   vivir
living room   la sala
loaded   cargado, -a
logical   lógico, -a
long   largo, -a
  how long? (time)   ¿cuánto
  tiempo?
longer   más largo, -a
  no longer   ya no
to **look at**   mirar
  to look for   buscar
  to look like   parecerse a
to **lose**   perder (ie)

403

lot:
  a lot (of) mucho, -a
love el amor
  to be in love with estar enamo-
    rado, -a de
  to love amar, querer
luck la suerte
  good luck buena suerte
lunch el almuerzo
  to eat (have) lunch almorzar
    (ue)

magazine la revista
magnificent magnífico, -a
maid la criada
main principal, mayor
to **make** hacer
man el hombre
manager el (la) gerente
many muchos, -as
  how many? ¿cuántos, -as?
map el mapa
March marzo
mark la nota
market el mercado
to **match** emparejar
matter:
  it doesn't matter no importa
May mayo
me me
  (for) me (para) mí
  with me conmigo
meal la comida
to **mean** querer decir, significar
meat la carne
to **meet** encontrar (ue)
  very glad to meet you mucho
    gusto
melon el melón
merchant el comerciante

Mexican mexicano, -a
Mexico México, Méjico
midnight la medianoche
mile la milla
military militar
milk la leche
million el millón
mine mío, -a
minus menos
minute el minuto
  it is ten minutes after one es la
    una y diez
Miss la señorita
mistake la falta, el error
model el modelo
modern moderno, -a
moment el momento
  just a moment un momentito
Monday el lunes
money el dinero; (Mexican) el
  peso
month el mes
monument el monumento
moon la luna
more más
morning la mañana
  good morning buenos días
  in the morning por la mañana;
    (when hour is given) de la
    mañana
most más
mother la madre
mountain la montaña
mountain range la sierra
movies el cine
moving picture la película
Mr. el señor
  Mr. and Mrs. los señores
Mrs. la señora
much mucho, -a

as much as possible cuanto es posible

for how much? ¿a cómo?

how much? ¿cuánto, -a?

very much muchísimo, -a

thank you very much muchas gracias

too much demasiado

museum el museo

music la música

musician el músico

must tener que + inf.

my mi, mis

myrrh la mirra

name el nombre

my name is me llamo

his, her, its name is se llama

what is your name? ¿cómo se llama Ud.?

napkin la servilleta

narrow estrecho, -a

nation la nación

national nacional

near cerca de

necessary necesario, -a

necklace el collar

necktie la corbata

to need necesitar

neighbor el vecino, la vecina

neither ni

neither do I ni yo tampoco

never nunca

nevertheless sin embargo

new nuevo, -a

news la noticia

newspaper el periódico

next próximo, -a

next (year) (el año) próximo

nice simpático, -a

how nice! ¡qué bueno!

night la noche

good night buenas noches

(Saturday) night (el sábado) por la noche

last night anoche

nine nueve

nine hundred novecientos, -as

nineteen diez y nueve, diecinueve

ninety noventa

no no; ningún; ninguno, -a

no one nadie

nobody nadie

noise el ruido

none ningún, ninguno, -a

noon el mediodía

north el norte

North America Norteamérica, la América del Norte

not no

not any ningún, ninguno, -a

not even ni siquiera

notebook el cuaderno

nothing nada

to notice notar

noun el substantivo (sustantivo)

November noviembre

now ahora, ya

number el número

nylon el nilón

ocean el océano

o'clock:

it is one o'clock es la una

it is two o'clock son las dos

October octubre

of de

to offer ofrecer

405

office   la oficina
often   muchas veces
old   viejo, -a
   how old are you?   ¿cuántos años tiene Ud.?
older   mayor
oldest   mayor
on   en, sobre
   On Monday   el lunes
   on Mondays   los lunes
   on arriving   al llegar
once   una vez
   at once   en seguida
one   uno, un, una
   the one who   el que, la que
   no one   nadie
only   sólo, solamente, único, -a
to open   abrir
opposite   el contrario
or   o, u (before o or ho)
oracle   el oráculo
orange   la naranja
   orange juice   jugo de naranja
oration   la oración
orchestra   la orquesta
orchid   la orquídea
order   la orden
   in order to   para
other   otro, -a
our   nuestro, -a
ourselves   nos
overcoat   el abrigo

pacifier (baby's)   la chupa
package   el paquete, el bulto
pair   el par
to pair   emparejar
pants   los pantalones
paper   el papel

parcel   el bulto
parents   los padres
park   el parque
party   la fiesta
to pass   pasar
passenger   el pasajero
past:
   half past   y media
to pay   pagar
pear   la pera
peas   los guisantes
pen   la pluma
pencil   el lápiz
people   la gente, las personas
perhaps   tal vez, quizá(s)
person   la persona
phantom   el fantasma
to phone   llamar por teléfono
photograph   la fotografía
to pick (to gather)   recoger
picture   el cuadro
   moving picture   la película
picturesque   pintoresco, -a
pie   el pastel
   apple pie   pastel de manzana
pile   la pila
pineapple   la piña
pity:
   what a pity!   ¡qué lástima!
place   el lugar, el sitio
plane   el avión
plant   la planta
plate   el plato
to play (instrument)   tocar;
   (game)   jugar (ue) a
pleasant   agradable, simpático, -a
please   por favor
   please (write)   haga Ud. el favor de (escribir), tenga Ud. la bondad de (escribir)

pleasure:
  the pleasure is mine   el gusto es
    mío
plus   y
P.M.   de la tarde, de la noche
pool:
  swimming pool   la piscina
poor   pobre
popular   popular
port   el puerto
Portuguese   el portugués
potato   la patata; (South America)
    la papa
pottery   la alfarería
pound   la libra
prayer   la oración
to **prefer**   preferir (ie, i)
to **prepare**   preparar
present   presente; (roll call)
    servidor, -a
present (gift)   el regalo
president   el presidente
pretty   bonito, -a, lindo, -a
price   el precio
princess   la princesa
principal   principal; (of a school)
    el director, la directora
prisoner   el prisionero
professor   el profesor, la profesora
program   el programa
to **promise**   prometer
public   público, -a
pupil   el alumno, la alumna
purse   la bolsa
to **put**   poner
to **put in order**   ordenar

quarter   cuarto
question   la pregunta
quickly   rápidamente

quite   bastante

r (letter of alphabet)   la ere
radical   el radical
radio   el (la) radio
to **rain**   llover (ue)
ranch   el rancho
rapidly   rápidamente
to **read**   leer
ready   listo, -a
to **receive**   recibir
record   el disco
red   rojo, -a
to **refer**   referir (ie)
refreshment   el refresco
regards   recuerdos, saludos
to **relate**   contar (ue)
to **remain**   quedarse
to **remember**   recordar (ue)
to **repeat**   repetir (i)
to **replace**   reemplazar
to **reply**   contestar, responder
republic   la república
to **resemble**   parecerse a
rest:
  the rest   los demás
restaurant   el restaurante
to **return**   volver (ue)
review   el repaso
rice   el arroz
rich   rico, -a
right:
  all right   está bien
  to be right   tener razón
  to the right   a la derecha
ring   el anillo
river   el río
road   el camino
rocky   rocoso, -a
roll   el panecillo

407

to **call the roll** pasar lista
roof el techo, el tejado
room el cuarto
 living room la sala
 dining room el comedor
rose la rosa
 to **run** correr

sad triste
Saint Santo, -a, San
salad la ensalada
salt la sal
same mismo, -a
sandal la sandalia
sandwich el sandwich
Saturday el sábado
to **say** decir
scarf (silk or lace, for the head) la mantilla
school la escuela
 to **school** a la escuela
seal el sello
season la estación
seat el asiento
to **see** ver
 see you later hasta luego
 see you tomorrow hasta mañana
 see you again hasta la vista
to **seize** prender
to **sell** vender
to **send** mandar, enviar
sentence la oración
September septiembre
to **serve** servir (i)
service:
 at your service a sus órdenes
to **set** poner
seven siete
seven hundred setecientos, -as

seventeen diez y siete, diecisiete
seventy setenta
several varios, -as
sharp (time) en punto
shawl el chal, el rebozo
she ella
 she who la que
shirt la camisa
shoe el zapato
to **shoot** fusilar
shopping:
 to **go shopping** ir de compras
to **shout** gritar
to **show** enseñar, mostrar (ue)
sick enfermo, -a
silent:
 to **keep silent** guardar silencio
silk la seda
 silk tie corbata de seda
silver la plata
to **sing** cantar
single solo, -a
sir señor
sister la hermana
 sister(s) and brother(s) los hermanos
to **sit down** sentarse (ie)
six seis
sixteen diez y seis, dieciséis
sixty sesenta
skirt la falda
to **sleep** dormir (ue, u)
small pequeño, -a
to **smoke** fumar
snow la nieve
to **snow** nevar (ie)
so tan
 I believe so creo que sí
socks los calcetines

soldier el soldado
some alguno, -a; (before masc. sing. noun) algún; unos, -as
someone alguien
something algo
sometimes algunas veces
son el hijo
song la canción
sorry:
  to be sorry sentir (ie, i)
  I am very sorry lo siento mucho
soup la sopa
south el sur
  South America Sudamérica, la América del Sur
space el espacio
spacious amplio, -a
Spain España
Spanish español, española: (language) el español
  a Spanish teacher un profesor de español
  Spanish America Hispanoamérica
  Spanish American hispanoamericano, -a
to speak hablar
  Tom speaking (telephone) habla Tomás
to spend (time) pasar
spoon la cuchara
sport el deporte
spot (place) el sitio
spring la primavera
squadron el escuadrón
stair la escalera
stamp el sello
stand el puesto
to stand up levantarse

state el estado
  United States los Estados Unidos
to stay quedarse
steak el biftec
stem el radical
stew (of meat) el guisado
stewardess la azafata, la camarera
still todavía
stockings las medias
stone la piedra
store la tienda
  grocery store la tienda de comestibles
strawberry la fresa
street la calle
streetcar el tranvía
strong fuerte
structure la estructura
student el alumno, la alumna, el estudiante
to study estudiar
subject el sujeto
suddenly de repente
to suffer sufrir
sugar el azúcar
suit el traje
suitcase la maleta
summer el verano
sun el sol
Sunday el domingo
to suppress suprimir
surprise la sorpresa
  to be surprised sorprenderse
sweater el suéter
sweet dulce
sweatheart el novio, la novia
to swim nadar
  swimming pool la piscina

symphony   la sinfonía
  symphony orchestra   la orquesta
    sinfónica

table   la mesa
to **take**   tomar; (to take someone,
  to carry) llevar
  to take a trip   hacer un viaje
  to take a walk   dar un paseo
to **talk**   hablar
tall   alto, -a
task   la tarea
tea   el té
to **teach**   enseñar
teacher   el profesor, la profesora
team   el equipo
telephone   el teléfono
  what is your telephone number?
    ¿cuál es el número de su telé-
    fono?
to **telephone**   llamar por teléfono
to **tell**   decir, contar (ue)
ten   diez
tennis   el tenis
textile   el tejido
than   que; (before a number)   de
thank:
  thank you   gracias
  thank you very much   muchas
    gracias
that   ese, esa; aquel, aquella
  that's too bad! ¡qué lástima!
the   el, la, los, las
theater   el teatro
their   su, sus
them:
  (for) them   (para) ellos, -as
  (I see) them   los, las (veo)
  (I write) to them   les (escribo)

themselves   se
then   entonces, luego
  well then   pues bien
there   allí, allá
  there is (are)   hay
these   estos, -as
  éstos, -as
they   ellos, -as
thing   la cosa
to **think**   pensar (ie)
  to think about   pensar en
  I think so   creo que sí
third   tercero, -a (before masc.
  sing. noun) tercer
thirsty:
  to be thirsty   tener sed
thirteen   trece
thirty   treinta
this   este, -a; esto
this one   éste, -a
those   esos, -as, aquellos, -as
thousand   mil
thread   el hilo
three   tres
  the Three Wise Men   los Reyes
    Magos
to **throw**   arrojar, tirar
Thursday   el jueves
ticket   el billete, el boleto
tie   la corbata
to **tie the score**   empatar
tiger   el tigre
time   el tiempo, la vez, la hora
  many times   muchas veces
  what time is it? ¿qué hora es?
  to have a good time   divertirse
    (ie, i)
tired   cansado, -a
to   a, hasta

it is five minutes to three   son
  las tres menos cinco
toast   el pan tostado
today   hoy
tomato   el tomate
tomorrow   mañana
tonight   esta noche
too   también
  too much   demasiado
top:
  on top of   encima de
tourist   el turista, la turista
towel   la toalla
town   el pueblo
  in town   en el centro
train   el tren
to translate   traducir
to travel   viajar
traveler   el viajero
tree   el árbol
trip   el viaje
  to take a trip   hacer un viaje
  have a nice trip   feliz viaje
to triumph   triunfar
troop   la tropa
tropical   tropical
trousers   los pantalones
true:
  that's true   es verdad
  isn't it true?   ¿verdad?
to try to   tratar de
Tuesday   el martes
twelve   doce
twenty   veinte
twice   dos veces
two   dos

uncle   el tío

to understand   comprender, entender (ie)
undoubtedly   sin duda
United States   los Estados Unidos
university   la universidad
until   hasta
upon   sobre, en
  upon (leaving)   al (salir)
us   nos
  (for) us   (para) nosotros, -as
to use   usar, emplear

vacation   las vacaciones
vegetable   la legumbre
  green vegetable   la verdura
very   muy
  I am very cold   tengo mucho frío
  thank you very much   muchas
    gracias
view (look, glance)   la vista
violet   la violeta
to visit   visitar
voice   la voz
volcano   el volcán
vowel   la vocal

to wait (for)   esperar
walk   el paseo
  to take a walk   dar un paseo, pa-
    searse
to walk   andar
wall   la pared
to want   desear, querer
war   la guerra
warm   caliente
  to be warm (weather)   hacer
    calor; (person) tener calor
to wash   lavar

watch   el reloj
water   el agua (*f.*)
way:
   this way   por aquí
we   nosotros, -as
to wear   llevar, usar, vestir (i)
weather   el tiempo
   how is the weather?   ¿qué tiempo hace?
   the weather is bad   hace mal tiempo
   the weather is nice (fine)   hace buen tiempo
to weave   tejer
Wednesday   el miércoles
week   la semana
welcome:
   you're welcome   de nada
   welcome to   bienvenido, -a a
well   bien, pues
   well then   pues bien
west   el oeste
what?   ¿qué? ¿cuál?
   what is your name?   ¿cómo se llama Ud.?
when   cuando
   when?   ¿cuándo?
where   donde
   where?   ¿dónde?
   where are you going?   ¿a dónde va Ud.?
which   que
   which?   ¿cuál? ¿qué?
while   mientras
white   blanco, -a
who   que
   who?   ¿quién?
whole   todo el, toda la
why?   ¿por qué?

wide   ancho, -a
wife   la esposa
to win   ganar
window   la ventana
windy:
   it is windy   hace viento
winter   el invierno
to wish   desear, querer
with   con
   with me   conmigo
within   dentro de
without   sin
woman   la mujer
wooden   de madera
woolen   de lana
word   la palabra
work   el trabajo
to work   trabajar
world   el mundo
worse   peor
worst   peor
wrath   la ira
to write   escribir
wrong:
   to be wrong   no tener razón

yarn   el hilo
year   el año
   I am ten years old   tengo diez años
yellow   amarillo, -a
yes   sí
yesterday   ayer
yet   todavía
you   usted, ustedes; (fam.) tú, vosotros, -as
   (for) you   (para) Ud(s).; (fam.) ti

(I know) you le, la, los, las (conozco); (fam.) te (conozco)
(I speak) to you le, les (hablo); (fam.) te (hablo)
young joven
younger menor

youngest el (la) menor
your su, sus
yourself se

zero cero
zoo el jardín zoológico

ÍNDICE

ÍNDICE

417

419